VERDES Y DEPURATIVOS

VERDES Y DEPURATIVOS

This edition published by Parragon Books Ltd in 2015
and distributed by:

Parragon Books Ltd
440 Park Avenue South,
13th Floor
New York NY 10016, USA
www.parragon.com/lovefood

LOVE FOOD is an imprint of Parragon Books Ltd

Traducción: Míriam Torras para Delivering iBooks & Design
Redacción y maquetación: Delivering iBooks & Design, Barcelona

ISBN: 978-1-4748-0827-9

Impreso en China/Printed in China

Gestión del proyecto: Andrea O'Connor
Nuevas recetas: Mima Sinclair
Diseño: Beth Kalynka
Nuevas fotografías: Max y Liz Haarala Hamilton
Introducción y texto adicional: Judith Wills

Notas:
Este libro usa el sistema métrico e imperial para las medidas. Para términos que difieren de
una región a otra, hemos añadido variantes en la lista de ingredientes. Las cucharadas indicadas
en las medidas son rasas. Se considera que 1 cucharadita equivale a 5 ml y 1 cucharada, a 15 ml.
Si no se especifica otra cosa, la leche es siempre entera y las hortalizas, de tamaño medio. Si no
se da otra indicación, los tubérculos deberán lavarse y pelarse. Las guarniciones, los adornos y
las sugerencias de presentación son opcionales y no se incluyen necesariamente en la lista de
ingredientes o el modo de preparación de la receta.

Aunque el autor ha hecho todo lo posible por garantizar que la información que aparece
en este libro sea precisa y esté actualizada en el momento de su publicación, el lector debe
tener en cuenta los siguientes puntos:

Los conocimientos médicos y farmacéuticos están en constante evolución, y ni el autor
ni el editor pueden garantizar que el contenido del libro sea preciso o apropiado.

En cualquier caso, este libro no pretende ser, ni el lector debería considerarlo, algo
que pueda sustituir al consejo médico antes de hacer un cambio drástico en la dieta.

Exención de responsabilidades por alergias alimentarias: ni el autor ni el editor asumen
ninguna responsabilidad en caso de producirse reacciones adversas a las recetas que
contiene el libro.

La información que aparece en el libro no ha sido evaluada por la U.S. Food and
Drug Administration (Administración de Alimentos y Medicamentos de Estados Unidos).
Este libro no pretende tratar, curar o prevenir ninguna enfermedad.

Por esas razones, y en el marco de la legalidad vigente, el autor y el editor: (i) declinan cualquier
responsabilidad legal en relación con la precisión o la adecuación del contenido de este libro,
incluso cuando se expresa como «consejo» u otras palabras de significado semejante; y (ii) se
eximen de cualquier responsabilidad ante posibles percances, daños o riesgos debidos, como
consecuencia directa o indirecta, al uso o aplicación de los contenidos de este libro.

ÍNDICE

INTRODUCCIÓN 6

¿POR QUÉ LO VERDE ES SALUDABLE?

LOS LICUADOS VERDES YA NO SOLO FORMAN PARTE DEL MUNDO DE LAS ESTRELLAS DE CINE, LAS SUPERMODELOS Y LOS VEGANOS, SINO QUE AHORA CAUSAN SENSACIÓN A NIVEL GENERAL, Y NO ES DE EXTRAÑAR. SI DESEA CUIDAR SU SALUD, BIENESTAR, PESO Y APARIENCIA, PROBABLEMENTE NO EXISTA MANERA MÁS SENCILLA DE HACERLO QUE INCLUYENDO LICUADOS EN SU DIETA.

¿A QUIÉNES SE RECOMIENDAN?

Prácticamente todo el mundo se puede beneficiar al incluir en su dieta zumos, batidos, sopas, cremas y tragos verdes. Son fáciles de preparar e ideales para quien tiene poco tiempo. Además, también se pueden llevar a todas partes, son muy versátiles y hay para todos los gustos: dulces, ácidos, sabrosos o especiados.

¿POR QUÉ SON SANOS?

Con ingredientes como hortalizas y frutas crudas además de otros pequeños suplementos sanos, hierbas y especias, las recetas verdes y depurativas son literalmente un refuerzo energético contenido en un vaso o cuenco. Si toma zumos de manera regular, su cuerpo recibirá todas las vitaminas y minerales que necesita, además de altos niveles de antioxidantes y varios tipos de fibra.

CÓMO COMPRAR LOS INGREDIENTES MÁS FRESCOS

Compre siempre los productos más frescos y de mejor calidad que pueda encontrar, pues son los que contienen más nutrientes y tienen mejor sabor. Siempre que le sea posible, adquiera productos de cultivo biológico. Puede surtirse en mercados locales de productos agrícolas, tiendas en línea que ofrecen cajas de hortalizas, ¡o incluso puede cultivarlas usted mismo! Decídase siempre por productos de temporada y evite cualesquiera que estén descoloridos o marchitos, ya que habrán perdido vitaminas B y C y enzimas.

INGREDIENTES DE LOS LICUADOS VERDES

Aunque la mayoría de los ingredientes que utilizará son frescos, hay otros suplementos que convertirán sus zumos en algo todavía más sano.
Pruebe estos:

* Especias, como el jengibre, la cayena, la cúrcuma y la canela.

* Suplementos, como la maca y el trigo germinado en polvo (rico en proteínas).

* Espirulina y clorela, ambas ricas en clorofila y disponibles tanto en polvo como en comprimidos.

* Frutos secos, semillas y cremas de frutos secos y semillas.

* Alimentos superenergéticos, como la miel de manuka, el coco, las bayas secas de asaí o las de goji, el cacao en polvo sin edulcorar, la vaina de vainilla y el aceite o las semillas de cáñamo.

* Versiones de larga duración de bebidas de arroz, almendra y coco.

TRUCOS Y CONSEJOS

PARA OBTENER EL MEJOR RESULTADO

N.º 1 DESPENSA SIEMPRE AL DÍA

* Preste atención a las fechas de consumo preferente y deseche cualquier producto caducado.
* Guarde todos los productos en un lugar seco, oscuro y a ser posible fresco, en un recipiente hermético.
* Conserve siempre los ingredientes líquidos en el frigorífico.

N.º 2 EL MEJOR LICUADO

* Asegúrese de cortar todas las hortalizas y frutas del modo adecuado, es decir, en trozos de tamaño parecido; las frutas más blandas, como el plátano, pueden cortarse en trozos grandes, pero las más duras, como las zanahorias, deben cortarse en trozos más pequeños.
* Utilice siempre la pieza que viene con la licuadora para introducir los ingredientes en ella.
* En la batidora, ponga primero los ingredientes sólidos y luego añada los líquidos, y sobre todo no triture sin haber añadido líquido.
* En el caso de las frutas y hortalizas más duras, tritúrelas al nivel máximo para obtener un zumo o batido más suave.

N.º 3 PREPARAR LAS HORTALIZAS

* Lávelas y límpielas con agua fría; no las deje en remojo (¡perderían los nutrientes!).
* En el caso de las hortalizas y frutas de piel dura, como los cítricos, y especialmente si están enceradas (también se venden de cultivo biológico sin encerar), pélelas y quíteles el corazón o las semillas antes de licuarlas.
* Algunas frutas, como los aguacates y los mangos, se deben deshuesar, pues sería imposible triturar el gran hueso.

N.º 4 INGERIR ZUMOS O BATIDOS

* Para retener el máximo de nutrientes, bébase el zumo o batido enseguida.
* Los zumos prensados en frío tienden a conservarse más tiempo (al menos 24 horas) si se guardan en el frigorífico.
* Si quiere prepararse zumos o batidos para llevar, guárdelos siempre en un recipiente hermético; también puede ponerlos en un termo y luego meter este en una bolsa aislante.

N.º 5 NUTRICIÓN MÁXIMA

* Para retener el máximo de nutrientes, recuerde que los zumos y batidos nunca se deben calentar; el calor destruye enzimas, vitamina C y vitaminas del grupo B.
* Las licuadoras de prensado en frío (licuadoras trituradoras) son preferibles a las licuadoras centrifugadoras, porque estas últimas generan mucho calor.

ELIJA EL MEJOR EQUIPO

OBTENDRÁ EL MÁXIMO PLACER A LA HORA DE LICUAR O TRITURAR SI DISPONE DEL EQUIPO ADECUADO A SUS NECESIDADES. NUESTRA PEQUEÑA GUÍA LE AYUDARÁ A HACER LA MEJOR ELECCIÓN.

En primer lugar, debe pensar qué tipo de bebidas desea preparar. Las licuadoras literalmente extraen el zumo de ingredientes sólidos, mediante un proceso de centrifugado o bien por métodos de prensado o triturado. En cambio, las batidoras simplemente machacan los ingredientes sólidos junto a un líquido añadido para obtener un zumo de la fruta u hortaliza entera.

NUESTRA GUÍA LE AYUDARÁ A DECIDIR CUÁL ES EL APARATO IDEAL PARA USTED:

LICUADORAS

LICUADORAS CENTRIFUGADORAS

Cómo funcionan: Utilizan cuchillas dentadas alojadas en la base de una cesta parecida a un colador que gira. Mediante una fuerza centrífuga, se separa el zumo de la pulpa.
Ideales para: Todo tipo de frutas y tubérculos. Menos eficientes para licuar hojas y hierbas.
Nivel de dificultad: Fácil. A veces llevan accesorios que pueden ser útiles, por ejemplo, un exprimidor de cítricos.
Velocidad: Normalmente disponen de dos velocidades.
Limpieza: Puede ser laboriosa, pues hay modelos que se componen de hasta nueve partes.
Conviene saber: El calor que genera este sistema calienta el zumo y, por ello, se puede reducir la calidad nutricional.
Precio: Medio.

LICUADORAS TRITURADORAS / DE PRENSADO EN FRÍO

Cómo funcionan: Machacan los ingredientes por presión rotatoria con un rodillo prensador parecido a un tornillo.
Ideales para: Cualquier ingrediente; es el mejor aparato para extraer zumo de hojas y hierbas.
Nivel de dificultad: Razonable.
Velocidad: Se puede tardar en prepararlas, y son más lentas que las licuadoras centrifugadoras.
Limpieza: Lo ideal es limpiarlas justo después de utilizarlas.
Conviene saber: La mayoría de estudios demuestran que retienen más vitaminas, compuestos vegetales y enzimas que las licuadoras centrifugadoras porque generan poco calor.
Precio: Medio-alto.

EXPRIMIDORES MANUALES

* Hay exprimidores manuales de cítricos muy económicos que llevan un sencillo cono sobre una base donde se recoge el zumo. Los de trigo germinado u hortalizas de hoja verde son ideales si ya se tiene una licuadora centrifugadora. Son muy económicos y fáciles de preparar, usar y limpiar.

BATIDORAS

BATIDORAS DE VASO

Cómo funcionan: Una gran jarra con cuchillas de acero en el fondo se encaja en una base que contiene un motor eléctrico. Los ingredientes sólidos se ponen en la jarra junto con los líquidos, se coloca la tapa y luego las cuchillas trituran el contenido hasta obtener una crema espesa.

Ideales para: Hacer zumos, batidos, cremas o sopas ricos en fibra y sin producir desperdicios. Recomendables para preparar granizados.

Nivel de dificultad: Fácil.

Velocidad: La mayoría disponen de al menos dos velocidades y una opción especial para triturar hielo.

Limpieza: Fácil, aunque se tienen que cuidar las cuchillas.

Conviene saber: Las batidoras especiales para hacer batidos son muy parecidas a las batidoras de vaso, pero suelen llevar una espita.

Precio: Bajo-medio.

BATIDORAS DE ALTA VELOCIDAD

Cómo funcionan: En general mediante una acción ciclónica, muelen y emulsionan ingredientes sólidos, incluyendo tallos duros, pieles y semillas, asegurando así que nuestro sistema digestivo absorbe el máximo de nutrientes. Al igual que las batidoras de vaso, estos modelos son ideales para batir una amplia variedad de frutas y hortalizas, y siempre hay que añadirles líquido. Además, el preparado es de fácil portabilidad, ya que puede retirar la tapa con cuchillas y colocar otra tapa hermética estándar.

Ideales para: Todo tipo de frutas y hortalizas, y también para aprovechar al máximo los nutrientes.

Nivel de dificultad: De uso fácil; la tapa con cuchillas se puede retirar rápidamente. Diseño inteligente que consiste en un vaso que se coloca boca abajo para triturar y luego el mismo se utiliza para beber.

Velocidad: Los modelos más caros funcionan muy rápido.

Limpieza: Muy fácil.

Conviene saber: Estas novedosas batidoras son ideales, por ejemplo, para solteros o gente que lleva un ritmo de vida rápido, ya que no es necesario pasar el preparado de la batidora a otro recipiente distinto. Normalmente también vienen con una cuchilla moledora para picar frutos secos, cereales o semillas.

Precio: Bajo-medio.

BATIDORAS DE MANO

Cómo funcionan: Una cuchilla alojada en un brazo eléctrico se introduce directamente en una jarra, taza o bol, o en el recipiente que viene con la batidora.

Ideales para: Frutas y hortalizas blandas e ingredientes cortados en trocitos. Idóneas para raciones individuales, tragos y cremas o sopas rápidas.

Nivel de dificultad: Fáciles de sostener y usar, pero se recomiendan recipientes altos y estrechos en vez de anchos y llanos porque los ingredientes podrían salpicar durante el proceso de preparación.

Velocidad: Normalmente tienen una única velocidad.

Limpieza: Fácil.

Conviene saber: Aunque no sean tan versátiles como otros tipos de batidoras, hay modelos muy económicos. Asimismo, constituyen un accesorio ideal para cocinas pequeñas, preparaciones básicas de fruta blanda o gente que dispone de poco tiempo.

Precio: Bajo-medio.

ENVIDIA VERDE

PARA 1 PERSONA

SUS AMIGOS SE PONDRÁN VERDES DE ENVIDIA CUANDO VEAN SU NUEVO
YO REJUVENECIDO, RELUCIENTE Y REPLETO DE SALUD Y ENERGÍA.

Ingredientes

1 MANZANA VERDE

4 RAMAS DE APIO, Y 1 MÁS PARA ADORNAR

150 g/5¹/₂ oz DE PEPINO

100 g/3¹/₂ oz DE ESPINACAS

20 g/³/₄ oz DE MENTA

1 cucharada de clorofila en polvo

Cubitos de hielo, para servir (opcional)

CÓMO PREPARARLO

- TROCEE LA MANZANA, EL APIO Y EL PEPINO.

- LICÚE LAS ESPINACAS, LA MENTA, LA MANZANA, EL APIO
  Y EL PEPINO.

- INCORPORE LA CLOROFILA AL ZUMO Y REMUÉVALO BIEN.
  LLENE UN VASO DE CUBITOS DE HIELO, VIERTA EL ZUMO
  Y SÍRVALO ENSEGUIDA, ADORNADO CON 1 RAMA DE APIO
  BIEN RECORTADA.

TAMBIÉN PUEDE
SUSTITUIR LA MENTA
POR PEREJIL O
CILANTRO; AMBOS
APORTARÁN UN
SABOR FRESCO.

DEPURADOR VERDE

¡CONSIDÉRELO UN ABRAZO DESDE SU INTERIOR! TIENE UN ASPECTO ESTUPENDO, SABE BIEN Y ES RICO EN VITAMINAS A, B, C Y E, ADEMÁS DE MINERALES COMO EL HIERRO Y EL POTASIO.

Ingredientes

1 MANZANA PARTIDA POR LA MITAD

30 g/1 oz DE COL (REPOLLO) RIZADA VERDE

2 KIWIS PELADOS

2 RAMITAS DE PEREJIL

½ AGUACATE (PALTA) DESHUESADO (DESCAROZADO) Y PELADO

4 cucharadas de agua bien fría

1 puñadito de hielo picado

REALCE EL EFECTO DEPURATIVO DE ESTA BEBIDA AÑADIÉNDOLE UN CHORRITO DE ZUMO DE LIMA.

¡A MEZCLAR!

- LICÚE LA MANZANA, LA COL Y LOS KIWIS.

- PASE EL ZUMO A LA BATIDORA, AÑADA EL PEREJIL Y EL AGUACATE Y TRITÚRELO.

- VIERTA EL AGUA Y EL HIELO, Y TRITÚRELO DE NUEVO HASTA QUE ESTÉ SUAVE.

- PASE EL ZUMO A UN VASO Y SÍRVALO ENSEGUIDA.

MOJITO DE MELÓN Y MENTA

ESTE REFRESCO TAN AFRUTADO LE TRAERÁ A LA MEMORIA RECUERDOS FELICES DEL VERANO.

PARA 1 PERSONA

Ingredientes

20 g/³/₄ oz DE ESPINACAS

50 g/1³/₄ oz DE PULPA DE COCO

200 ml/7 fl oz de agua bien fría

100 g/3¹/₂ oz DE MELÓN CANTALOUPE PELADO Y DESPEPITADO (SIN SEMILLAS)

1 cucharada DE MENTA TROCEADA

El zumo (jugo) de ½ lima (limón)

50 g/1³/₄ oz DE MANGO PELADO Y DESHUESADO (DESCAROZADO), Y 1 CUÑA FINA PARA ADORNAR

Hielo picado, para servir (opcional)

SI LO PREFIERE, PUEDE REEMPLAZAR EL MELÓN CANTALOUPE POR MELÓN GALIA.

¡A TRITURAR!

- TRITURE LAS ESPINACAS CON EL COCO Y EL AGUA EN LA BATIDORA HASTA QUE QUEDE HOMOGÉNEO.

- AÑADA EL MELÓN, LA MENTA, EL ZUMO DE LIMA Y EL MANGO, Y TRITÚRELO DE NUEVO HASTA QUE QUEDE SUAVE Y CREMOSO. VIÉRTALO EN UN VASO CON HIELO PICADO (OPCIONAL) Y SÍRVALO ENSEGUIDA ADORNADO CON EL MANGO.

REFUERZO
SI AGREGA
1 CUCHARADITA
DE ESPIRULINA,
LO CONVERTIRÁ
EN UN REFUERZO
PROTEICO
INSTANTÁNEO.

DOCTOR VERDE

PARA 1 PERSONA

Ingredientes

25 g/1 oz DE RÚCULA

1 cucharada DE MENTA TROCEADA

200 ml/7 fl oz de agua bien fría

125 g/4½ oz DE MELÓN GALIA PELADO
Y DESPEPITADO (SIN SEMILLAS)

½ cucharada de CLOROFILA EN POLVO

El zumo de ½ limón (lima)

1 TROZO PELADO DE JENGIBRE de 2,5 cm/1 in

4 cubitos de hielo

>¡A TRITURAR!<

- TRITURE LA RÚCULA CON LA MENTA Y EL AGUA EN LA BATIDORA HASTA QUE QUEDE HOMOGÉNEO.

- AÑADA EL MELÓN, LA CLOROFILA, EL ZUMO DE LIMÓN, EL JENGIBRE Y EL HIELO, Y TRITÚRELO DE NUEVO HASTA QUE QUEDE SUAVE Y CREMOSO.

REFUERZO DE LAVANDA

PARA 1 PERSONA

Ingredientes

½ BULBO GRANDE DE HINOJO

½ LECHUGA ROMANA

150 g/5½ oz DE MELÓN HONEYDEW

1 lima (limón)

5 TALLOS DE LAVANDA

¡A MEZCLAR!<

- TROCEE EL HINOJO, LA LECHUGA Y EL MELÓN, Y CORTE LA LIMA EN CUARTOS.

- LICÚELOS JUNTO CON LA LAVANDA, REMUÉVALO BIEN Y SÍRVALO ENSEGUIDA.

DOCTOR VERDE

LA LAVANDA TIENE UN SABOR MUY FUERTE, POR LO QUE DEBE USARLA CON MODERACIÓN. PUEDE EMPLEAR LAVANDA SECA, PERO RECUERDE QUE EL SABOR AUMENTA CON EL PROCESO DE SECADO.

REFUERZO
AÑADA 2 CUCHARADITAS DE POLEN DE ABEJA PARA COMBATIR LA FATIGA.

REFUERZO DE LAVANDA

REFRESCO DE POMELO

PARA 1 PERSONA

ESTE REFRESCANTE ZUMO ESTÁ MEZCLADO CON AGUA DE COCO, QUE COMO CONTIENE ABUNDANTES ELECTROLITOS Y MINERALES AYUDA A CONTRARRESTAR LOS EFECTOS DE LA DESHIDRATACIÓN.

Ingredientes

150 g/5½ oz DE PEPINO

½ POMELO ROSA, Y ALGUNOS GAJOS MÁS PARA ADORNAR

2 KIWIS

2 RAMAS DE APIO

1 cucharadita DE MACA EN POLVO

4 cucharadas de agua de coco

Hielo picado, para servir (opcional)

DELE SU TOQUE

Añada agua de coco aromatizada, por ejemplo, con maracuyá o asaí.

>¡MANOS A LA OBRA!<

- TROCEE EL PEPINO, EL POMELO ROSA, LOS KIWIS Y EL APIO, Y LICÚELOS.

- INCORPORE LA MACA Y EL AGUA DE COCO, Y REMUÉVALO BIEN. A CONTINUACIÓN, VIÉRTALO EN UN VASO CON HIELO PICADO (OPCIONAL), ADÓRNELO CON LOS GAJOS DE POMELO Y SÍRVALO ENSEGUIDA.

COMBINADO DE MELÓN, PERA Y JENGIBRE

UNA REFRESCANTE Y SALUDABLE VERSIÓN DE LA CERVEZA DE JENGIBRE, SIN QUÍMICOS NI AZÚCARES AÑADIDOS, SOLO INGREDIENTES 100 % NATURALES.

PARA 1 PERSONA

Ingredientes

½ MELÓN HONEYDEW PELADO Y CORTADO EN TAJADAS GRUESAS

1 TROZO DE JENGIBRE DE 1 cm/½ in

1 PERA PARTIDA POR LA MITAD

1 puñadito de hielo (opcional)

125 ml/4 fl oz de agua mineral con gas bien fría

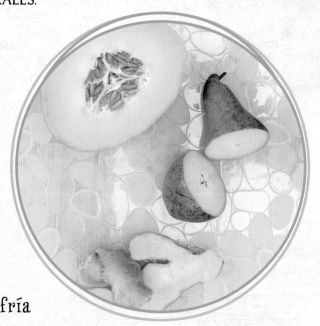

ES HORA DE REFRESCARSE

- LICÚE EL MELÓN, EL JENGIBRE Y LA PERA.

- LLENE UN VASO DE HIELO HASTA LA MITAD (OPCIONAL) Y LUEGO VIERTA EL ZUMO.

- TERMINE DE LLENAR EL VASO CON EL AGUA CON GAS Y SÍRVALO ENSEGUIDA.

REVITALICE
SU CUERPO CON
VERDES ALCALINOS

UNA DE LAS MUCHAS RAZONES POR LAS QUE LOS ZUMOS VERDES SON TAN SANOS ES PORQUE SON ALCALINOS. ESO SIGNIFICA QUE AYUDAN A COMBATIR LOS EFECTOS DE UNA DIETA DEMASIADO ÁCIDA, A DEPURAR EL ORGANISMO Y A MANTENERNOS EN UN BUEN ESTADO GENERAL DE SALUD.

¿SABÍA QUE la mayoría de personas sigue una dieta con demasiados alimentos ácidos? Carne, queso, cereales refinados, alcohol y alimentos de baja calidad con alto contenido en azúcar y grasas procesadas crean un medio interno ácido. Aunque los riñones son capaces de eliminar el exceso de ácido de forma natural, nuestra dieta moderna puede sobrecargarlo con facilidad. Muchos nutricionistas destacados creen que esto puede provocar un sinfín de problemas, en parte porque los riñones tratan de rectificar el equilibrio del ácido «robándonos» minerales importantes como el magnesio, el calcio y el potasio, que son vitales para la excreción de ácido. Con estos minerales menguados, nos cuesta más producir hormonas, enzimas y neurotransmisores, necesarios para dar energía y combatir infecciones e inflamaciones.

SIGNOS DE TENER UN CUERPO
DEMASIADO ÁCIDO:

- Resfriados y gripes frecuentes
- Baja energía, fatiga crónica, mala calidad de sueño
- Dolores musculares, dolor de espalda
- Dolor de articulaciones, artrosis, osteoporosis
- Problemas renales y de vejiga
- Acné, eccemas y psoriasis
- Falta de concentración, dolores de cabeza
- Hinchazón y aumento de peso
- Cambios de humor y síndrome premenstrual

La buena noticia es que puede crear con facilidad un medio más alcalino en su organismo comiendo menos alimentos ácidos.

MANTENGA UN PH SALUDABLE

El equilibrio entre ácido y alcalino de su cuerpo se conoce como equilibrio del pH. Excepto el ácido estomacal, que debe ser alto para descomponer los alimentos que ingerimos, el nivel óptimo de pH del resto de nuestro cuerpo debería estar alrededor de 7,4. En general, una dieta alta en hortalizas y frutas ayuda a alcalinizarnos, mientras que una dieta alta en proteínas, en especial proteínas de origen animal, cereales refinados, azúcares y alimentos procesados, incrementa nuestra acidez. Experimentos clínicos han demostrado que un cuerpo alcalino es más sano que uno ácido, y los expertos creen que un buen equilibrio se logra ingiriendo entre un 70 y un 80 % de alimentos alcalinos y entre un 20 y un 30 % de ácidos, ¡aunque la mayoría de nosotros hacemos justamente lo contrario!

La mayoría de gente descubre que cuando se cambia a una dieta altamente alcalina, los síntomas definidos como propios de un exceso de ácidos se alivian rápidamente. Los licuados y batidos son maneras ideales de maximizar los efectos alcalinos de los alimentos porque proporcionan una nutrición concentrada. Además, el proceso de licuar o triturar descompone la comida y ayuda a nuestro organismo a absorber los nutrientes. Los zumos y batidos también tienen un alto contenido en agua, la cual tiene casi un perfecto ph neutro de 7.

LOS ALIMENTOS MÁS ALCALINOS:

Hortalizas de hoja verde, otras verduras, aguacates, tomates, muchas frutas, especialmente limones, limas, melones, pomelos, uvas, papayas y kiwis, hierbas, la mayoría de especias, vinagre de manzana, soja, almendras. Suplementos como trigo germinado, semillas de chía y clorela son altamente alcalinos.

LOS ALIMENTOS MÁS ÁCIDOS:

Proteínas de origen animal, como buey, cordero, cerdo, pollo, marisco, pato, huevos y productos lácteos, cereales refinados, cafeína, azúcar, bebidas con gas, alcohol y comidas procesadas.

CLOROFILA

¿QUÉ ES Y CÓMO AFECTA EL PIGMENTO DE FORMA POSITIVA A NUESTRA SALUD?

La clorofila es el pigmento verde oscuro que se encuentra en plantas y algas. Abundante en hortalizas de hoja verde y hierbas, trigo germinado y en las algas llamadas clorela, la clorofila no solo es muy alcalina, sino que también es rica en vitaminas, minerales, compuestos vegetales y antioxidantes. Posiblemente ayuda a incrementar la calidad y cantidad de glóbulos rojos y, como resultado, puede incrementar los niveles de oxígeno, dar más energía, realzar el bienestar y estimular el sistema inmunitario.

La clorofila es un antiinflamatorio clínicamente probado y, por lo tanto, ayuda a protegernos de enfermedades como la artritis reumatoide, cardiopatías y algunos problemas digestivos, como la enfermedad inflamatoria intestinal. En otras palabras, aumentar la cantidad de clorofila en su dieta es una de las mejores cosas que puede hacer para mantener un pH saludable y sentirse estupendamente.

REFRESCO DE ALOE

EL ALOE VERA ESTÁ REPLETO DE VITAMINAS Y MINERALES. AYUDA EN LA DIGESTIÓN Y ELIMINACIÓN DE TOXINAS Y REFUERZA EL SISTEMA INMUNITARIO, POR LO QUE ES UNA BENEFICIOSA ADICIÓN A SUS ZUMOS Y BATIDOS VERDES.

PARA 1 PERSONA

Ingredientes

30 g/1 oz DE COL (REPOLLO) RIZADA

200 ml/7 fl oz de agua bien fría

100 g/3½ oz DE SANDÍA DESPEPITADA (SIN SEMILLAS)

75 g/2¾ oz DE MANGO PELADO Y DESHUESADO (DESCAROZADO)

1-2 cucharadas DE ALOE VERA EN GEL, AL GUSTO

1 cucharadita DE TRIGO GERMINADO EN POLVO

4 cubitos de hielo

CONSEJO
El aloe vera tiene un sabor fuerte: utilice poco hasta que se acostumbre a él.

¡A TRITURAR!

- TROCEE LA COL, ÉCHELA EN LA BATIDORA CON EL AGUA Y TRITÚRELA BIEN.

- TROCEE LA SANDÍA Y EL MANGO Y LUEGO ÉCHELOS EN LA BATIDORA.

- AÑADA EL ALOE, EL TRIGO GERMINADO Y LOS CUBITOS, Y TRITÚRELO TODO HASTA QUE QUEDE SUAVE.

MIRE EL PEREJIL CON NUEVOS OJOS

El perejil es rico en calcio y potasio, y tiene mucho hierro y fósforo. Solo 2 cucharadas de perejil contienen un sorprendente 153 % de la cantidad necesaria recomendada de vitamina K (que «trabaja» con las proteínas para fortalecer los huesos).

PURIFICANTE DE PEREJIL

PARA 1 PERSONA

ESTA BEBIDA DE EFECTO DIURÉTICO AYUDA A DEPURAR EL ORGANISMO. EL INTENSO SABOR DE LAS HIERBAS Y DEL AJO SE COMPENSA CON EL DULZOR NATURAL DE LOS TIRABEQUES Y EL DELICADO SABOR DEL PEPINO.

Ingredientes

115 g/4 oz DE TIRABEQUES (BISALTOS, EJOTES, ARVEJAS PLANAS)

1 PUÑADITO DE PEREJIL

2 RAMITAS DE ROMERO FRESCO

1 DIENTE DE AJO

55 g/2 oz DE ESPINACAS TIERNAS

½ PEPINO

2 RAMAS DE APIO PARTIDAS POR LA MITAD

1 cucharada de aceite de cáñamo

Agua bien fría, al gusto

Hielo para servir (opcional)

¡LICÚELO!

- LICÚE LOS TIRABEQUES, EL PEREJIL (RESERVANDO 1 RAMITA PARA ADORNAR), EL ROMERO Y EL DIENTE DE AJO, Y LUEGO LAS ESPINACAS, EL PEPINO Y EL APIO.

- VIERTA EL ZUMO EN UN VASO, INCORPORE EL ACEITE Y AGUA AL GUSTO, ADÓRNELO CON EL PEREJIL RESERVADO Y SÍRVALO CON HIELO (OPCIONAL).

REFRESCO VERDE

¿NUNCA HA PROBADO EL COLINABO? ¡PUES ESTA ES SU OPORTUNIDAD! SU CRUJIENTE TEXTURA Y SU SABOR ALGO PICANTE COMBINAN BIEN CON SABORES SUAVES (ASÍ LA BEBIDA RESULTANTE NO TIENE UN SABOR DEMASIADO FUERTE).

PARA 1 PERSONA

Ingredientes

100 g/3½ oz DE APIONABO (RAÍZ DE APIO, APIO-RÁBANO)

75 g/2¾ oz DE CALABACÍN (ZAPALLITO)

150 ml/5 fl oz de agua bien fría

100 ml/3½ fl oz de leche de coco

75 g/2¾ oz DE AGUACATE (PALTA) PARTIDO POR LA MITAD, DESHUESADO (DESCAROZADO) Y PELADO

El zumo (jugo) de ½ lima (limón), más 2 cuñas finas para adornar.

4 cubitos de hielo

SI NO ENCUENTRA COLINABO, SUSTITÚYALO POR LA MISMA CANTIDAD DE NABO.

¡A TRITURAR!

- PELE EL APIONABO Y TROCÉELO JUNTO CON EL CALABACÍN. ÉCHELOS EN LA BATIDORA CON EL AGUA Y LA LECHE DE COCO, Y TRITÚRELO HASTA QUE QUEDE SUAVE Y CREMOSO.

- TROCEE EL AGUACATE, AÑÁDALO CON EL ZUMO DE LIMA Y EL HIELO, Y TRITÚRELO DE NUEVO HASTA QUE QUEDE HOMOGÉNEO. SÍRVALO ENSEGUIDA ADORNADO CON LAS

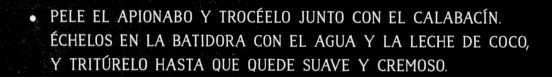

DIVINO COMO UN PEPINO

ES COMO UNA FRESCA ENSALADA DE VERANO EN UN VASO: CLARA Y FRESCA, CON EL TOQUE ALGO AMARGO DE LA RÚCULA, EL REFRESCANTE SABOR DE LA MENTA Y EL DULZOR DE LAS MANZANAS.

Ingredientes

½ PEPINO PARTIDO POR LA MITAD

15 g/½ oz DE RÚCULA

3 RAMITAS DE MENTA, Y 1 RAMITA MÁS PARA ADORNAR

1 CALABACÍN

1 RAMA DE APIO PARTIDA POR LA MITAD

1 MANZANA PARTIDA POR LA MITAD

1 puñadito de hielo picado (opcional)

>¡LOCURA DE PEPINO!<

- LICÚE EL PEPINO, LA RÚCULA Y LA MENTA, Y LUEGO EL CALABACÍN, EL APIO Y LA MANZANA.

- LLENE UN VASO CON HIELO PICADO HASTA LA MITAD (OPCIONAL), LUEGO VIERTA EL ZUMO Y SÍRVALO ENSEGUIDA ADORNADO CON LA RAMITA DE MENTA.

¿NO LE
ENTUSIASMA
EL APIO?

EN ESE CASO, EN LUGAR
DE APIO AÑADA UN
POCO MÁS DE
PEPINO.

TRAGO ANTIGRIPAL

PARA 1 PERSONA

REFRESCANTE Y CONTUNDENTE, ESTE TRAGO TAN ENERGÉTICO RESULTA UN DEPURATIVO INSTANTÁNEO.

Ingredientes

½ MANZANA VERDE PELADA Y DESCORAZONADA

5 g/⅛ oz DE PEREJIL, MÁS 1 RAMITA PARA ADORNAR

50 g/1¾ oz DE PEPINO

1 PIZCA DE CAYENA MOLIDA

3½ cucharadas de agua bien fría

NO SE PASE CON LA CAYENA, ¡SIEMPRE PUEDE AÑADIR MÁS PERO NO QUITARLA!

¡A TRITURAR!

- PONGA LA MANZANA, EL PEREJIL, EL PEPINO Y LA CAYENA EN LA BATIDORA.

- VIERTA EL AGUA Y TRITÚRELO HASTA QUE QUEDE SUAVE. SÍRVALO ENSEGUIDA ADORNADO CON LA RAMITA DE PEREJIL.

TROPICALES VERDES

REPLETO DE SABORES TROPICALES, ESTE TRAGO LE REVITALIZARÁ EN UN ABRIR Y CERRAR DE OJOS.

CUANDO SE ACOSTUMBRE AL SABOR DEL TRIGO GERMINADO, INCREMENTE LA CANTIDAD A 1 CUCHARADITA.

Ingredientes

10 g/¼ oz DE COL (REPOLLO) RIZADA

60 g/2¼ oz DE PIÑA (ANANÁS), Y 1 TROCITO MÁS PARA ADORNAR

15 g/½ oz DE ESPINACAS

½ cucharadita DE TRIGO GERMINADO EN POLVO

3½ cucharadas de agua bien fría

PREPARADO, LISTO... ¡A TRITURAR!

- TROCEE LA COL. PELE LA PIÑA, QUÍTELE EL TRONCHO Y TROCÉELA. ÉCHELAS EN LA BATIDORA CON LAS ESPINACAS Y EL TRIGO GERMINADO.

- VIERTA EL AGUA Y TRITÚRELO HASTA QUE QUEDE SUAVE. SÍRVALO ENSEGUIDA ADORNADO CON EL TROCITO DE PIÑA.

TRAGO ANTIGRIPAL

TROPICALES VERDES

REFUERZO

AÑADA
1 CUCHARADITA
DE CLOROFILA EN
POLVO PARA DEPURAR
EL HÍGADO Y
EL COLON.

VÉASE TROPICALES VERDES EN PÁG. 35

CREMA VERDÍSIMA

ESTA SENCILLA Y REVITALIZANTE CREMA
LE REFRESCARÁ EN UNA DÍA CALUROSO.

CON UN PUNTO PICANTE

SI LE GUSTA
EL PICANTE,
AÑADA UN POCO DE
JENGIBRE FRESCO
RALLADO PARA
DARLE UN TOQUE
ESPECIAL.

Ingredientes

180 g/6¼ oz DE PEPINO

2 RAMAS DE APIO

2 cucharadas DE PEREJIL TROCEADO,
Y UN POCO MÁS PARA ADORNAR

2 cucharadas DE MENTA TROCEADA

2 cucharadas DE CILANTRO TROCEADO

250 ml/9 fl oz de agua bien fría

CON CALMA

- TROCEE EL PEPINO Y EL APIO Y TRITÚRELOS EN LA
  BATIDORA CON EL PEREJIL, LA MENTA, EL CILANTRO
  Y EL AGUA, HASTA QUE QUEDE HOMOGÉNEO.

- SÍRVALO ENSEGUIDA O BIEN REFRIGÉRELO Y LUEGO
  REMUÉVALO ANTES DE SERVIRLO. ADÓRNELO CON
  EL PEREJIL.

PARA
LUCIR

REFRESCO DE DIENTE DE LEÓN

LOS DIENTES DE LEÓN TIENEN UNA LARGA LISTA DE BENEFICIOS PARA LA SALUD, ENTRE ELLOS TRATAR PROBLEMAS DERMATOLÓGICOS. Y LO MEJOR DE TODO ES QUE PUEDE ENCONTRARLOS EN SU PROPIO JARDÍN DESDE PRINCIPIOS DE PRIMAVERA.

Ingredientes

25 g/1 oz DE HOJAS DE DIENTE DE LEÓN

25 g/1 oz DE BERROS

200 ml/7 fl oz DE AGUA BIEN FRÍA

1 PERA GRANDE

3½ cucharadas DE CREMA DE COCO

Cubitos de hielo, para servir (opcional)

REFUERZO
SI AÑADE 1 CUCHARADITA DE MACA EN POLVO, SERÁ UN BUEN REMEDIO PARA ELIMINAR EL ACNÉ Y LAS MANCHAS.

>¡A TRITURAR!<

- TRITURE EL DIENTE DE LEÓN CON LOS BERROS Y EL AGUA EN LA BATIDORA HASTA QUE QUEDE HOMOGÉNEO.

- TROCEE Y DESCORAZONE LA PERA Y ÉCHELA EN LA BATIDORA CON LA CREMA DE COCO. TRITÚRELO TODO HASTA QUE QUEDE SUAVE Y CREMOSO.

- REMUÉVALO BIEN, VIÉRTALO EN UN VASO CON CUBITOS DE HIELO (OPCIONAL), Y SÍRVALO ENSEGUIDA.

CONSEJO

A PRINCIPIOS DE PRIMAVERA
LOS DIENTES DE LEÓN TIENEN
UN SABOR MÁS DULCE Y
SUAVE. LÁVELOS
BIEN ANTES DE
UTILIZARLOS.

REFUERZO

AÑADA 2 CUCHA-
RADITAS DE ASAÍ
PARA DARLE A SU
PIEL UN BRILLO
SANO.

PURIFICADOR DE HINOJO

EL HINOJO ES UNA INCREÍBLE FUENTE DE FIBRA QUE CONTIENE POTENTES ANTIOXIDANTES, LOS CUALES SE HA DEMOSTRADO QUE TIENEN PROPIEDADES ANTIINFLAMATORIAS. SI CUIDA SU INTERIOR, PRONTO SE VERÁ REFLEJADO EN SU EXTERIOR.

Puede sustituir el hinojo por apio, pero tenga presente que si lo hace perderá el suave sabor a anís.

Ingredientes

1 BULBO GRANDE DE HINOJO

1 MANZANA VERDE

1 LIMA (LIMÓN)

100 g / 3½ oz DE ESPINACAS

20 g / ¾ oz DE MENTA

HOJAS DE HINOJO, PARA ADORNAR

Hielo picado, para servir (opcional)

¡A MEZCLAR!

- TROCEE EL HINOJO Y LA MANZANA Y CORTE LA LIMA EN CUARTOS.

- LICÚE LAS ESPINACAS, LA MENTA, EL HINOJO, LA MANZANA Y LA LIMA.

- REMUEVA BIEN EL ZUMO Y VIÉRTALO EN UN VASO CON HIELO PICADO (OPCIONAL). ADÓRNELO CON HOJAS DE HINOJO Y SÍRVALO ENSEGUIDA.

MAGIA MUSCULAR

PARA 1 PERSONA

ESTE ZUMO CONTIENE UNA BUENA DOSIS DE VERDURAS, MUCHAS GRASAS MONOINSATURADAS SANAS DEL AGUACATE Y PROTEÍNAS DE LOS FRUTOS SECOS. ¡ES CASI UNA COMIDA COMPLETA EN UN SOLO VASO!

Ingredientes

55 g/2 oz DE COL (REPOLLO) RIZADA VERDE

1 MANOJITO DE PEREJIL

½ LECHUGA ROMANA

2 RAMAS DE APIO PARTIDAS POR LA MITAD

1 MANZANA PARTIDA POR LA MITAD

½ LIMÓN (LIMA)

30 g/1 oz DE ALMENDRA LAMINADA

½ AGUACATE (PALTA) DESHUESADO (DESCAROZADO) Y PELADO

1 puñadito de hielo picado

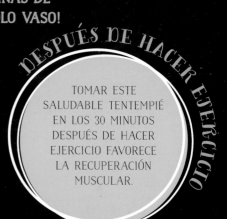

DESPUÉS DE HACER EJERCICIO

TOMAR ESTE SALUDABLE TENTEMPIÉ EN LOS 30 MINUTOS DESPUÉS DE HACER EJERCICIO FAVORECE LA RECUPERACIÓN MUSCULAR.

¡A LICUAR!

- LICÚE LA COL, EL PEREJIL Y LA LECHUGA, Y LUEGO EL APIO, LA MANZANA Y EL LIMÓN.

- PONGA LA ALMENDRA EN LA BATIDORA Y TRITÚRELA HASTA QUE ESTÉ BIEN MOLIDA.

- AÑADA EL LICUADO Y EL AGUACATE, Y TRITÚRELO HASTA QUE QUEDE HOMOGÉNEO.

- ECHE EL HIELO Y TRITÚRELO DE NUEVO. PASE EL ZUMO A UN VASO Y SÍRVALO ENSEGUIDA.

AMANECER TAILANDÉS

PARA 1 PERSONA

Ingredientes

1 PERA

4 LICHIS FRESCOS

50 g/1¾ oz **DE ESPINACAS**

6 HOJAS DE ALBAHACA TAILANDESA, Y 1 RAMITA PARA ADORNAR

200 ml/7 fl oz de agua bien fría

5 g/⅛ oz **DE JENGIBRE FRESCO PELADO**

El zumo (jugo) de ½ lima (limón)

>¡EN MARCHA!<

- PELE Y DESCORAZONE LA PERA Y PELE Y DESHUESE LOS LICHIS.

- TRITURE LAS ESPINACAS CON LA ALBAHACA Y EL AGUA HASTA QUE QUEDE HOMOGÉNEO.

- AÑADA LA PERA, LOS LICHIS, EL JENGIBRE Y EL ZUMO DE LIMA, Y TRITÚRELO TODO HASTA QUE QUEDE SUAVE. SÍRVALO ENSEGUIDA, ADORNADO CON LA RAMITA DE ALBAHACA TAILANDESA.

BATIDO DE COL

PARA 1 PERSONA

Ingredientes

30 g/1 oz **DE COL (REPOLLO) RIZADA VERDE**

50 g/1¾ oz **DE PULPA DE COCO**

350 ml/12 fl oz **DE BEBIDA DE ALMENDRA BIEN FRÍA**

1 cucharada **DE PIPAS (SEMILLAS) DE GIRASOL**

¼ de cucharadita **DE CANELA MOLIDA, Y UN POCO MÁS PARA ADORNAR**

¡TRITÚRELO!<

- TROCEE LA COL Y PÁSELA A LA BATIDORA.

- AÑADA EL COCO, LA BEBIDA DE ALMENDRA, LAS PIPAS DE GIRASOL Y LA CANELA, Y TRITÚRELO TODO HASTA QUE QUEDE SUAVE Y CREMOSO (PUEDE QUE TARDE MÁS DE LO HABITUAL DEBIDO AL COCO). SÍRVALO ENSEGUIDA ESPOLVOREADO CON CANELA MOLIDA.

AMANECER TAILANDÉS

LA ALBAHACA TAILANDESA PUEDE SER DIFÍCIL DE ENCONTRAR, POR LO QUE LA PUEDE SUSTITUIR POR LA ALBAHACA COMÚN.

BATIDO DE COL

HAY MUCHOS TIPOS DE BEBIDAS DE ALMENDRA. PARA HACER ESTE BATIDO, ASEGÚRESE DE ELEGIR UNA SIN EDULCORAR.

REFRESCO DE KIWI

UN COMBINADO QUE LE HARÁ RELUCIR DESDE EL INTERIOR: VITAMÍNICOS KIWIS TRITURADOS CON JUGOSAS UVAS BLANCAS Y REFRESCANTE LECHUGA.

PARA 1 PERSONA

Ingredientes

½ LECHUGA ROMANA

4 KIWIS PELADOS

115 g/4 oz DE UVAS BLANCAS

1 PERA GRANDE PARTIDA POR LA MITAD

1 puñadito de hielo picado, para servir (opcional)

¡A MEZCLAR!

- RESERVE 1 HOJA DE LECHUGA. LICÚE LOS KIWIS Y LAS UVAS Y DESPUÉS LA LECHUGA Y LA PERA.

- LLENE MEDIO VASO DE HIELO PICADO HASTA LA MITAD (OPCIONAL) Y VIERTA EL LICUADO.

- ADÓRNELO CON LA HOJA DE LECHUGA RESERVADA Y SÍRVALO ENSEGUIDA.

DIOSA VERDE

EL GINSENG ES UN ESTIMULANTE NATURAL QUE AYUDA A COMBATIR EL ESTRÉS Y MEJORAR EL ESTADO DE ÁNIMO. ESTE ZUMO, PERFECTO PARA LA HORA DE LA MERIENDA, TAMBIÉN FAVORECE LAS FUNCIONES RENALES Y HEPÁTICAS Y PREVIENE LA RETENCIÓN DE LÍQUIDOS.

Ingredientes

1 BOLSITA O **1** CUCHARADITA DE INFUSIÓN DE GINSENG

150 ml/5 fl oz de agua hirviendo

1 MANZANA PARTIDA POR LA MITAD

40 g/1½ oz DE HOJAS DE RÚCULA

GLORIOSO GINSENG

EL GINSENG ES UNA PLANTA DE CRECIMIENTO LENTO CON RAÍCES CARNOSAS. ADEMÁS DE CONSIDERARSE UN POTENTE AFRODISÍACO Y TÓNICO, ACTÚA COMO INHIBIDOR DEL APETITO, POR LO QUE PUEDE AYUDAR A PERDER PESO.

INFUSIÓN CON ZUMO

- PONGA EL GINSENG EN UNA TAZA, VIERTA EL AGUA HIRVIENDO Y DÉJELO REPOSAR 4 MINUTOS.

- CUÉLELO EN UN VASO.

- LICÚE LA MANZANA Y DESPUÉS LA RÚCULA.

- MEZCLE EL LICUADO CON LA INFUSIÓN Y SÍRVALO CALIENTE O FRÍO.

RESPLANDECER
DE SALUD Y VITALIDAD CON LA
ENERGÍA DE LOS ZUMOS

BENEFICIOS PARA LA PIEL

La col rizada (así como las zanahorias, acelgas, espinacas y muchas otras hortalizas de hoja verde) tiene un alto contenido en un pigmento llamado betacaroteno, un potente antioxidante que ayuda a prevenir el envejecimiento celular prematuro y mantener la piel joven y saludable. La col rizada también es rica en potasio y en ácidos grasos omega 3, que tienen propiedades antiinflamatorias; ambos ayudan a reducir el acné, manchas y otros problemas de la piel.

El perejil tiene altos niveles de vitamina K, que favorece la elasticidad de la piel y acelera el proceso de curación de heridas.

El kiwi, los pimientos y la col rizada son muy ricos en vitamina C. Esta sustancia es vital para la salud general de la piel pero también para la producción de colágeno, que mantiene la elasticidad de la piel y ayuda a prevenir las arrugas.

La piel blanca de los cítricos es rica en bioflavonoides, un compuesto que ayuda a fortalecer los capilares sanguíneos y prevenir la aparición de arañas vasculares.

Las almendras, las nueces de Brasil, los aguacates y las pipas de girasol son ricos en vitamina E, que ayuda a combatir la piel seca y las uñas quebradizas. Por otro lado, el cacao, la calabaza y las pipas de girasol son grandes fuentes de cinc, un antioxidante que mantiene la piel sana y libre de enfermedades, y además ayuda tanto a curar como a fortalecer las uñas débiles.

BENEFICIOS PARA EL CABELLO

Para tener un cabello sano y evitar la pérdida de pelo, no debe prescindir de las hortalizas de hoja verde oscuro, como la berza, la col, la col rizada y el brócoli. Todas ellas son muy ricas en hierro, que mantiene los folículos sanos y el cuero cabelludo en buenas condiciones, así como en vitamina C, que ayuda al organismo a absorber el hierro. Por último, tienen altos niveles de carotenos, esenciales para la producción de seborrea, ya que ayuda a evitar el pelo seco y a darle brillo.

BENEFICIOS PARA LOS OJOS

Para que el blanco de sus ojos sea más brillante y blanco, lo que necesita son todas nuestras apreciadas frutas y hortalizas ricas en vitamina C, como los cítricos, las hortalizas de hoja verde, los kiwis, los berros y los mangos. Si desea tener unos ojos sanos y en especial si sufre de problemas como sequedad ocular, asegúrese de tomar suficiente cinc y omega 3. Para ello, hágase zumos que contengan frutos secos y semillas.

BENEFICIOS PARA LOS DIENTES Y LAS ENCÍAS

La soja, el cacao, las almendras, las nueces de Brasil y las hortalizas de hoja verde son grandes fuentes de calcio, un componente vital para mantener sanos los dientes y los huesos. Los alimentos alcalinos como las verduras, los aguacates y las almendras ayudan a combatir la acidez, que puede reducir la densidad mineral del esmalte dental.

Para prevenir la enfermedad de las encías, ingiera altos niveles de catequinas, que se encuentran en grandes cantidades en el té verde, el cacao y las manzanas crudas con piel. Y no se olvide de las espinacas, que son una de las pocas fuentes vegetales ricas en coenzima Q10, un compuesto que mantiene sanas las encías y evita que sangren.

BENEFICIOS PARA EL BIENESTAR

Está demostrado que una dieta repleta de hortalizas y frutas frescas y otros alimentos y extractos vegetales previene la aparición de enfermedades mayores como el cáncer, la diabetes y cardiopatías. Le aseguramos que si toma con regularidad una variedad de las recetas de este libro, no solo se beneficiará de su efecto preventivo, sino también notará cómo mejora su salud y bienestar general. Si toma estos preparados verdes y depurativos obtendrá un sinfín de efectos positivos, desde todos los pequeños beneficios que acabamos de explicar hasta otras mejoras, como sentirse más enérgico, tener una mejor calidad de sueño y estar de mejor humor.

VERDE Y EFICAZ

LA COL NEGRA, DE UN COLOR VERDE OSCURO, ESTÁ REPLETA DE VITAMINAS, MINERALES Y HIERRO. ES LA REINA DE ESTE LICUADO.

PARA 1 PERSONA

Ingredientes

2 ZANAHORIAS

80 g / 2¾ oz DE COL (REPOLLO) NEGRA

30 g / 1 oz DE HOJAS DE NABO

200 g / 7 oz DE UVAS BLANCAS

20 g / ¾ oz DE PEREJIL

SI NO ENCUENTRA ESTA BELLA VARIEDAD DE COL, PUEDE EMPLEAR COL RIZADA DE HOJA OSCURA.

¡A LICUAR!

- TROCEE LAS ZANAHORIAS, LA COL Y LAS HOJAS DE NABO.

- LICÚE LAS UVAS, EL PEREJIL, LA ZANAHORIA, LA COL Y LAS HOJAS DE NABO.

- REMUEVA BIEN EL LICUADO Y SÍRVALO ENSEGUIDA.

TÓNICO DE COLES

PUEDE QUE NUNCA SE HAYA PLANTEADO TOMAR COLES DE BRUSELAS EN ZUMOS, PERO ES LA MANERA IDEAL DE INGERIR A MENUDO ESTA VERDURA REPLETA DE VITAMINAS, MINERALES, BETACAROTENOS, ÁCIDO FÓLICO, CALCIO, POTASIO, HIERRO Y FIBRA.

PARA 1 PERSONA

LA BEBIDA DE ARROZ SE PUEDE REEMPLAZAR POR BEBIDA DE ALMENDRA O LECHE DE COCO.

Ingredientes

75 g / 2¾ oz DE COLES (REPOLLOS) DE BRUSELAS

25 g / 1 oz DE HOJAS DE REMOLACHA (BETARRAGA)

30 g / 1 oz DE ACELGAS

250 ml / 9 fl oz de bebida de arroz sin edulcorar

¡A TRITURAR!

- TRITURE LAS COLES DE BRUSELAS CON LAS HOJAS DE REMOLACHA Y LAS ACELGAS EN LA BATIDORA.

- VIERTA LA BEBIDA DE ARROZ Y TRITÚRELO TODO HASTA QUE QUEDE SUAVE Y CREMOSO. SÍRVALO ENSEGUIDA.

REFUERZO

AÑADA 2 CUCHA-
RADITAS DE ASAÍ
PARA DARLE A SU
PIEL UN BRILLO
SANO.

¡PURO DULZOR!

¡LA DULCE Y SABROSA REMOLACHA APORTA MUCHA ENERGÍA Y VIGOR! RECUERDE QUE NO TIENE POR QUÉ DESECHAR LAS HOJAS, PORQUE SE PUEDEN TOMAR DEL MISMO MODO QUE LAS ESPINACAS.

PARA 1 PERSONA

REMOLACHAS

Las remolachas suelen ser moradas, pero también existen variedades blancas, amarillas o con franjas.

Ingredientes

1 REMOLACHA (BETARRAGA)

1 MANZANA VERDE

40 g/1½ oz DE RÚCULA

150 g/5½ oz DE ACHICORIA

40 g/1½ oz DE HOJAS DE REMOLACHA (BETARRAGA)

> PREPARADOS, LISTOS... ¡A LICUAR!

- TROCEE LA REMOLACHA Y LA MANZANA.

- LICÚE LA RÚCULA, LA ACHICORIA, LAS HOJAS DE REMOLACHA, LA MANZANA Y LA REMOLACHA.

- REMUÉVALO BIEN Y SÍRVALO ENSEGUIDA.

REFUERZO ÓSEO
DE MANGO Y LIMA

AUNQUE EL MANGO QUEDE CAMUFLADO
EN ESTA RICA BEBIDA VERDE, SU SABOR
SÍ QUE SE NOTA Y SU DULZOR NATURAL
COMPENSA EL GUSTO DE LA COL RIZADA.

Ingredientes

1 cucharada DE SEMILLAS DE SÉSAMO

El zumo (jugo) de ½ lima (limón)

30 g/1 oz DE COL (REPOLLO) RIZADA VERDE TROCEADA

1 MANGO, PELADO, DESHUESADO (DESCAROZADO) Y TROCEADO

225 ml/8 fl oz de bebida de arroz, almendra o soja sin edulcorar

1 puñadito de hielo picado

>¡A TRITURAR!

- PONGA LAS SEMILLAS DE SÉSAMO EN LA BATIDORA
  Y TRITÚRELAS HASTA QUE QUEDEN BIEN MOLIDAS.

- AÑADA EL ZUMO DE LIMA, LA COL Y EL MANGO,
  Y TRITURE HASTA QUE QUEDE HOMOGÉNEO.

- AÑADA LA BEBIDA Y EL HIELO, Y TRITURE
  DE NUEVO HASTA QUE QUEDE SUAVE. PASE
  EL BATIDO A UN VASO Y SÍRVALO ENSEGUIDA.

DESPERTARES
CON PERA Y LIMÓN

LOS TRAGOS AFRUTADOS Y ESTIMULANTES COMO ESTE CONSTITUYEN UNA PERFECTA Y RÁPIDA DOSIS DE ENERGÍA.

Ingredientes

60 g/2¼ oz DE HINOJO

¼ DE PERA PELADA Y DESCORAZONADA

1 TROZO PELADO DE JENGIBRE
de 2,5 cm/1 in

El zumo (jugo) de ½ limón (lima)

2½ cucharadas de agua bien fría

AÑADA LA PIEL DE LA PERA SI QUIERE QUE CONTENGA MÁS FIBRA.

¡TRITÚRELO!

- TROCEE EL HINOJO Y PÁSELO A LA BATIDORA. AÑADA LA PERA, EL JENGIBRE Y EL ZUMO DE LIMÓN.

- VIERTA EL AGUA Y TRITÚRELO TODO HASTA QUE QUEDE SUAVE. SÍRVALO ENSEGUIDA.

VIGORIZANTE VERDE

NO HAY MEJOR MANERA DE EMPEZAR EL DÍA
QUE CON ESTE REFRESCANTE TRAGO MENTOLADO
HECHO CON MUCHAS HORTALIZAS DE HOJA VERDE.

PARA 1 PERSONA

LA COL
RIZADA
SIEMPRE ES
UNA BUENA
SUSTITUTA DE
LAS ESPINACAS.

Ingredientes

15g/½ oz DE ESPINACAS

6 HOJAS DE MENTA

1 cucharadita DE PEREJIL
PICADO

El zumo (jugo) de
½ lima (limón)

5 cucharadas de agua
bien fría

PREPARADO, LISTO... ¡A TRITURAR!

- PONGA LAS ESPINACAS, LA MENTA, EL PEREJIL
  Y EL ZUMO DE LIMA EN LA BATIDORA.

- VIERTA EL AGUA Y TRITÚRELO TODO HASTA QUE
  QUEDE SUAVE. SÍRVALO ENSEGUIDA.

AGREGUE UN
POCO DE MANZANA
VERDE A SU TRAGO
PARA DARLE
UN TOQUE
AFRUTADO.

VÉASE VIGORIZANTE VERDE EN LA PÁG. 65

VIGORIZANTE VERDE

DESPERTARES
CON PERA Y LIMÓN

CREMA
DE RÚCULA

EL SUAVE SABOR PICANTE DE LA RÚCULA Y DE LAS HOJAS DE MOSTAZA SE SUAVIZA CON EL AGUACATE Y LA LECHE DE COCO, RESULTANDO ASÍ UNA CREMA MUY SALUDABLE.

PARA 1 PERSONA

Ingredientes

20 g / ¾ oz DE RÚCULA, Y UNAS HOJAS MÁS PARA ADORNAR

20 g / ¾ oz DE HOJAS DE MOSTAZA

200 ml / 7 fl oz de agua bien fría

½ AGUACATE (PALTA) DESHUESADO (DESCAROZADO) Y PELADO

125 ml / 4 fl oz de leche de coco

¡A TRITURAR!

- TRITURE LA RÚCULA CON LAS HOJAS DE MOSTAZA Y EL AGUA EN LA BATIDORA HASTA QUE QUEDE HOMOGÉNEO.

- AÑADA EL AGUACATE Y LA LECHE DE COCO Y TRITÚRELO TODO HASTA QUE QUEDE BIEN SUAVE Y CREMOSO.

- SÍRVALO ENSEGUIDA, O BIEN REFRIGÉRELO Y LUEGO REMUÉVALO ANTES DE SERVIRLO. ADÓRNELO CON HOJAS DE RÚCULA.

SI NO
ENCUENTRA
HOJAS DE MOSTA-
ZA, SUSTITÚYALAS
POR COL RIZADA
O MÁS RÚCULA.

VERDE COLADA

SE CREE QUE LA LINAZA, UN SENCILLO
SUPLEMENTO DE ESTE REFRESCANTE COMBINADO,
AYUDA A REFORZAR EL EFECTO BARRERA
DE LA PIEL.

> Ingredientes

100 g / 3½ oz **DE ESPINACAS**

100 g / 3½ oz **DE PEPINO**

20 g / ¾ oz **DE MENTA, Y 1 RAMITA
MÁS PARA ADORNAR**

200 ml / 7 fl oz. de leche de coco

½ cucharadita **DE LINAZA**

1 cucharadita **DE CLOROFILA EN POLVO**

Hielo picado, para servir (opcional)

REFUERZO

AÑADA 1 TROCITO
DE RAÍZ DE CÚRCUMA
PARA REFORZAR RÁPI-
DAMENTE SU SISTEMA
INMUNITARIO.

> CÓMO PREPARARLO

- TROCEE LAS ESPINACAS Y EL PEPINO Y LICÚELOS
  JUNTO CON LA MENTA.

- INCORPORE LA LECHE DE COCO, LA LINAZA Y LA
  CLOROFILA AL LICUADO, Y REMUÉVALO BIEN. LLENE
  UN VASO CON HIELO PICADO (OPCIONAL), VIÉRTALO
  Y SÍRVALO ADORNADO CON LA RAMITA DE MENTA.

ELIXIR DE LECHUGA

PARA 1 PERSONA

TANTO LA LECHUGA COMO EL APIO Y LA MANZANA CONTIENEN MUCHA AGUA, UN LÍQUIDO ESENCIAL PARA ELIMINAR LAS TOXINAS DEL ORGANISMO.

Ingredientes

100 g/3½ oz DE LECHUGA ROMANA, Y
1 HOJITA MÁS PARA ADORNAR

4 RAMAS DE APIO

1 MANZANA VERDE

30 g/1 oz DE PEREJIL

1 cucharadita DE ESPIRULINA EN POLVO

Hielo picado, para servir (opcional)

¡NO TODAS LAS LECHUGAS SON IGUALES! LA ROMANA ES UNA DE LAS QUE TIENE LOS VALORES NUTRICIONALES MÁS ELEVADOS, ASÍ QUE ELÍJALA SIEMPRE ANTES QUE OTRAS VARIEDADES.

¡A LICUAR!

- TROCEE LA LECHUGA, EL APIO Y LA MANZANA, Y LUEGO LICÚELOS JUNTO CON EL PEREJIL.

- INCORPORE LA ESPIRULINA AL LICUADO Y REMUÉVALO BIEN.

- VIÉRTALO EN UN VASO CON HIELO PICADO (OPCIONAL) Y SÍRVALO ENSEGUIDA ADORNADO CON LA HOJITA DE LECHUGA.

REVITALIZANTE DE UVAS Y LICHIS

PARA 1 PERSONA

DELE UN TOQUE ASIÁTICO A ESTE BATIDO CON LOS AROMÁTICOS LICHIS, SÍMBOLO DE AMOR EN LA CULTURA CHINA. TRITÚRELOS CON UN CREMOSO Y SUAVE AGUACATE Y DULCES UVAS PARA OBTENER UN PERFECTO TENTEMPIÉ QUE LE REHIDRATARÁ Y AYUDARÁ A COMBATIR LA FATIGA.

Ingredientes

300 g/10½ oz DE UVAS BLANCAS

55 g/2 oz DE ESPINACAS TIERNAS

½ AGUACATE (PALTA) MADURO, DESHUESADO (DESCAROZADO) Y PELADO, MÁS 1 TROCITO PARA SERVIR (OPCIONAL)

5 LICHIS PELADOS Y DESHUESADOS (DESCAROZADOS)

1 puñadito de hielo picado

125 ml/4 fl oz de agua bien fría

¡A TRITURAR!

- LICÚE LAS UVAS Y LAS ESPINACAS.

- VIERTA EL LICUADO EN LA BATIDORA, AÑADA EL AGUACATE, LOS LICHIS Y EL HIELO, Y TRITÚRELO HASTA QUE QUEDE HOMOGÉNEO.

- AÑADA EL AGUA Y TRITÚRELO DE NUEVO. VIÉRTALO EN UN VASO, AÑADA EL TROCITO DE AGUACATE (OPCIONAL) Y SÍRVALO ENSEGUIDA.

INFORMACIÓN NUTRICIONAL DE LAS UVAS

LAS UVAS SON UNA GRAN FUENTE DE POTASIO AUNQUE, PESO POR PESO, SOLO TIENEN UN 5 % DE LA VITAMINA C QUE CONTIENEN LOS KIWIS.

MADRE TIERRA

PARA 1 PERSONA

Ingredientes

30 g/1 oz DE COL (REPOLLO) RIZADA VERDE

300 ml/10 fl oz de agua bien fría

2 RAMAS DE APIO

½ AGUACATE (PALTA) DESHUESADO (DESCAROZADO) Y PELADO

1 TROCITO DE RAÍZ DE CÚRCUMA PELADA

1 cucharada DE ZUMO (JUGO) DE YUZU

1 TROZO PELADO DE JENGIBRE de 2,5 cm/1 in

1 cucharadita DE POLEN DE ABEJA

1 cucharadita DE BAYAS DE GOJI

>¡TRITURE!<

- TROCEE LA COL, ÉCHELA EN LA BATIDORA CON EL AGUA Y TRITÚRELA BIEN.

- TROCEE EL APIO Y EL AGUACATE Y PÓNGALOS EN LA BATIDORA CON LA RAÍZ DE CÚRCUMA, EL ZUMO DE YUZU, EL JENGIBRE, EL POLEN Y LAS BAYAS. TRITÚRELO TODO HASTA QUE QUEDE HOMOGÉNEO Y SÍRVALO ENSEGUIDA.

REPARADOR DE COCO

PARA 1 PERSONA

Ingredientes

30 g/1 oz DE COL (REPOLLO) NEGRO

20 g/¾ oz DE HOJAS DE REMOLACHA (BETARRAGA)

1 cucharadita DE SEMILLAS DE CHÍA, Y UN POCO MÁS PARA ADORNAR

2 cucharaditas DE MANTECA DE ALMENDRA

200 ml/7 fl oz de leche de coco

125 ml/4 fl oz de agua bien fría

¡MÉZCLELO!<

- TROCEE LA COL Y ÉCHELA EN LA BATIDORA JUNTO CON LAS HOJAS DE REMOLACHA, LAS SEMILLAS DE CHÍA Y LA MANTECA DE ALMENDRA.

- VIERTA LA LECHE DE COCO Y EL AGUA Y TRITÚRELO TODO HASTA QUE QUEDE SUAVE Y CREMOSO. SÍRVALO ENSEGUIDA, ADORNADO CON SEMILLAS DE CHÍA.

YUZU

YUZU ES UN CÍTRICO JAPONÉS. TIENE UN SABOR SIMILAR AL POMELO, DE MODO QUE SI NO LO ENCUENTRA PUEDE REEMPLAZARLO POR AQUEL.

MADRE TIERRA

REPARADOR DE COCO

REFUERZO

AÑÁDALE 1 CUCHARADITA DE MACA EN POLVO Y OBTENDRÁ UN REFUERZO ENERGÉTICO.

PONCHE DE TÉ VERDE

PARA 1 PERSONA

EL TÉ VERDE CONTIENE ABUNDANTES ANTIOXIDANTES. COMBINADO CON GINSENG Y TRIGO GERMINADO, SE CONVIERTE EN UN ESTUPENDO ZUMO DEPURATIVO QUE LE LIMPIARÁ DESDE SU INTERIOR.

>Ingredientes<

300 ml/10 fl oz de té verde

El zumo (jugo) de ½ limón (lima)

¼ de cucharadita de ginseng líquido

1 cucharadita DE PROTEÍNA DE GUISANTE

1 cucharadita DE TRIGO GERMINADO EN POLVO

1 cucharadita DE MACA EN POLVO

Cubitos de hielo, para servir

PARA UNA FIESTA

AUMENTE LAS CANTIDADES PROPORCIONALMENTE, HAGA EL PONCHE Y ENFRÍELO BIEN PARA DISFRUTARLO CON LOS AMIGOS EN UN DÍA CALUROSO.

>¡CON VIGOR!<

- CON LAS VARILLAS, BATA EL TÉ VERDE CON EL ZUMO DE LIMÓN, EL GINSENG, LA PROTEÍNA DE GUISANTE, EL TRIGO GERMINADO Y LA MACA. TAMBIÉN PUEDE BATIR TODOS LOS INGREDIENTES EN LA BATIDORA.

- VIÉRTALO EN UN VASO CON HIELO Y SÍRVALO ENSEGUIDA.

REJUVENECEDOR
DE MENTA

ESTA REFRESCANTE Y DEPURADORA BEBIDA FAVORECE LAS FUNCIONES RENALES Y HEPÁTICAS, AYUDA A REDUCIR EL COLESTEROL, LIBERA TENSIONES Y PREVIENE EL INSOMNIO.

Ingredientes

½ MELÓN GALIA PELADO Y CORTADO EN TAJADAS GRUESAS

85 g/3 oz DE ESPINACAS TIERNAS

2 RAMITAS DE PEREJIL

3 RAMITAS LARGAS DE MENTA

1 puñadito de hielo (opcional)

¡PREPÁRELO!

- LICÚE EL MELÓN, LAS ESPINACAS, EL PEREJIL Y 2 RAMITAS DE MENTA.

- LLENE UN VASO CON HIELO HASTA LA MITAD (OPCIONAL), VIERTA EL LICUADO Y SÍRVALO ENSEGUIDA ADORNADO CON LA RAMITA DE MENTA RESTANTE.

REFUERZOS NUTRICIONALES
— BUENAS NOTICIAS PARA SU SALUD

A VECES, LAS PEQUEÑAS COSAS SON LAS QUE MARCAN LA DIFERENCIA, ESPECIALMENTE EN EL CASO DE LOS REFUERZOS NUTRICIONALES. SON ALIMENTOS NATURALES QUE EN PEQUEÑAS CANTIDADES CONSTITUYEN UN GRAN APORTE PARA LA SALUD. A CONTINUACIÓN APRENDERÁ SOBRE ESTOS ESPECIALES INGREDIENTES QUE LLENAN NUESTRAS RECETAS.

ALOE VERA

El aloe vera constituye una de las pocas fuentes vegetales de vitamina B12, por lo que resulta un suplemento ideal para los veganos. Durante siglos se ha utilizado en medicina herbolaria para calmar dolores de barriga, y es ideal en casos de síndrome del intestino irritable y problemas digestivos.

ASAÍ

Las bayas de asaí son unos frutos de color morado oscuro que crecen en las palmeras de los bosques pluviales de Sudamérica. Contienen más del doble de antioxidantes que los arándanos; estos componentes reducen el riesgo de sufrir enfermedades como cardiopatías y cáncer. Estas bayas también están repletas de aminoácidos (compuestos proteicos), fibra, ácidos grasos esenciales y vitamina C.

BAYAS DE GOJI

Los estudios demuestran que tomar bayas de goji con regularidad protege de cardiopatías y cáncer y refuerza el sistema inmunitario y la actividad cerebral. Estas pequeñas bayas rojas son muy ricas en carotenos, que refuerzan la salud de la piel, y también previenen la degeneración visual.

CACAO

Rico en unos compuestos vegetales antioxidantes llamados polifenoles, los científicos afirman que el cacao previene las cardiopatías, el cáncer y el envejecimiento prematuro. Como al cacao en polvo que se suele comercializar le han quitado los flavonoides, debe elegir siempre cacao en polvo sin procesar.

ESPECIAS

Especias como el jengibre, la guindilla, la cúrcuma y la canela tienen efectos potentes para mejorar el estado de salud incluso ingeridos en pequeñas cantidades. El jengibre es bueno para combatir las náuseas, las flatulencias, las molestias estomacales, las náuseas matutinas y los mareos, mientras que la cúrcuma tiene propiedades antiinflamatorias.

ESPIRULINA

La espirulina es un alga alcalina de color verde azulado parecida a la clorela (*véase página* 25). Es antiviral, tiene efectos beneficiosos en el sistema digestivo y los intestinos, y también es antiinflamatoria, por lo que ayuda a prevenir enfermedades como la artritis reumatoide.

GINSENG

Esta hierba medicinal, una de las más utilizadas en el mundo, refuerza el sistema inmunitario y reduce los niveles de glucosa en sangre. Da energía y mejora la resistencia física y el estado anímico. Hay varios tipos de ginseng; la variedad asiática *Panax ginseng* es la más estudiada.

HIERBA DE CEBADA

Igual que el trigo germinado, la hierba de cebada refuerza el sistema inmunitario, su clorofila tiene propiedades antiinflamatorias (*véase la página* 25) y se puede utilizar fresca o seca.

LINAZA MOLIDA

La linaza es una de las mejores fuentes de origen no animal de ácido graso esencial omega 3, un ácido alfa-linolénico (ALA) con una amplia gama de beneficios para la salud. Se ha demostrado que el ALA disminuye las inflamaciones y puede ayudar a prevenir la artritis y los infartos, además de reducir la hipertensión.

MACA

La raíz de la maca, una planta peruana, se ha utilizado en medicina tradicional desde tiempos inmemoriales. Se dice que la maca en polvo aumenta la vitalidad, mejora el rendimiento atlético y el estado anímico y reduce el estrés, además de ayudar a funcionar a las glándulas adrenales. La raíz también neutraliza los síntomas de la menopausia, incluyendo los sofocos.

MIEL DE MANUKA

Se ha demostrado que el metilglioxal (MG), un compuesto de la miel de manuka neozelandesa, tiene propiedades antibióticas. El estándar UMF mide la concentración del factor antibacteriano de la miel de manuka; una miel de valor 10 o más se considera que tiene propiedades terapéuticas.

POLEN DE ABEJA

El polen de abeja es un gran aporte energético que además ayuda a contener las ansias de comer. También tiene vitamina B12 (*véase* aloe vera) y rutina, que previene la formación de coágulos y las subidas de azúcar en sangre.

SEMILLAS DE CÁÑAMO

El aceite y las semillas de cáñamo son fuentes muy ricas de ALA (*véase* linaza). También contienen esteroles vegetales, que ayudan a reducir el colesterol y el riesgo de infartos. Son también una fantástica fuente de vitamina E, que refuerza el sistema inmunitario y mantiene sanas las arterias y la piel, y de magnesio, beneficioso para el corazón y los huesos.

SEMILLAS DE CHÍA

Estas diminutas semillas son una nutritiva fuente concentrada de saludables ácidos grasos omega 3, carbohidratos, proteínas, fibra, antioxidantes y calcio. Si las añade a su zumo reducirá el índice glucémico de la bebida, lo que le ayudará a sentirse lleno más tiempo.

COCO BOMBA

¡AUNQUE ESTE TRAGO TAN CREMOSO SEPA COMO UNA DELICIA PROHIBIDA, EN REALIDAD ES MUY BUENO PARA LA SALUD!

Ingredientes

40 g/1½ oz DE COL (REPOLLO) RIZADA VERDE

200 ml/7 fl oz de agua bien fría

1 cucharadita DE SEMILLAS O ACEITE DE CÁÑAMO

100 g/3½ oz DE PLÁTANO (BANANA) CONGELADO

1 cucharadita DE CACAO EN POLVO SIN PROCESAR, Y 1 PIZCA MÁS PARA ADORNAR

LA PULPA RASPADA DE ¼ DE VAINA DE VAINILLA

CONSEJO

PARA CONGELAR LOS PLÁTANOS, PÉLELOS Y CONGÉLELOS 30 MINUTOS, BIEN ESPACIADOS EN UNA BANDEJA. LUEGO, MÉTALOS EN BOLSAS O RECIPIENTES DE PLÁSTICO Y CONSÚMALOS EN EL PLAZO DE 3 A 4 MESES.

¡A TRITURAR!

- TROCEE LA COL, ÉCHELA EN LA BATIDORA CON EL AGUA Y TRITÚRELA BIEN.

- AÑADA LAS SEMILLAS DE CÁÑAMO, EL PLÁTANO, EL CACAO Y LA VAINILLA, Y TRITÚRELO TODO HASTA QUE QUEDE SUAVE Y CREMOSO. SÍRVALO ENSEGUIDA ADORNADO CON LA PIZCA DE CACAO.

MARAVILLA DE ASAÍ

ES UN GRAN REFUERZO ENERGÉTICO, PERFECTO PARA DESAYUNAR O COMO TENTEMPIÉ VIGORIZANTE A MEDIA TARDE.

Ingredientes

75 g / 2¾ oz DE ESPINACAS

2 cucharaditas DE ASAÍ EN POLVO

2 cucharaditas DE MIEL DE MANUKA

1 PIZCA DE CANELA MOLIDA

250 ml / 9 fl oz de bebida de almendra

Hielo picado, para servir (opcional)

SI ES ALÉRGICO A LOS FRUTOS SECOS, SUSTITUYA LA BEBIDA DE ALMENDRA POR LECHE DE COCO O BEBIDA DE ARROZ.

CÓMO HACER ESTE BATIDO

- PONGA LAS ESPINACAS, EL ASAÍ, LA MIEL Y LA CANELA EN LA BATIDORA.

- VIERTA LA BEBIDA DE ALMENDRA Y TRITÚRELO TODO HASTA QUE QUEDE SUAVE Y CREMOSO.

- REMUÉVALO BIEN, VIÉRTALO EN UN VASO CON HIELO PICADO (OPCIONAL) Y SÍRVALO ENSEGUIDA.

¿ACABA DE DESCUBRIR LA ESPIRULINA?

SE TRATA DE UN ALGA CULTIVADA QUE CONTIENE CLOROFILA, VITAMINA E, VITAMINAS DEL GRUPO B, ÁCIDO LINOLÉNICO, CALCIO, HIERRO, PROTEÍNAS Y CINC. PUEDE ENCONTRARLA ENVASADA EN TIENDAS DE DIETÉTICA.

CON ESPIRULINA

SIN ESPIRULINA

DEPURATIVO VERDE

EL MELÓN CONTIENE UNA ALTA PROPORCIÓN DE AGUA,
ASÍ QUE ESTA BEBIDA ES PERFECTA PARA REHIDRATARSE.
Y COMO LA ESPIRULINA QUE SE AÑADE CONTIENE
CLOROFILA, QUE LIMPIA LA SANGRE, ESTE ZUMO SE
CONVIERTE EN UN MÉTODO PERFECTO PARA DEPURARSE.

Ingredientes

85 g/3 oz DE TIRABEQUES (BISALTOS,
EJOTES, ARVEJAS PLANAS)

1 TROZO DE PEPINO DE 5 cm/2 in, MÁS 1
BASTONCILLO DE PEPINO PARA ADORNAR

2 KIWIS PELADOS

¼ DE MELÓN HONEYDEW PELADO
Y CORTADO EN TAJADAS GRUESAS

1 cucharadita DE ESPIRULINA EN POLVO
(OPCIONAL)

250 ml/9 fl oz de agua bien fría

1 puñadito de hielo (opcional)

¡A LICUAR!

- LICÚE LOS TIRABEQUES, EL PEPINO Y LOS KIWIS,
  Y DESPUÉS EL MELÓN.

- INCORPORE LA ESPIRULINA AL LICUADO (OPCIONAL)
  Y TERMINE DE LLENAR EL RECIPIENTE CON EL AGUA.

- LLENE UN VASO CON HIELO HASTA LA MITAD (OPCIONAL),
  VIERTA EL LICUADO Y SÍRVALO ENSEGUIDA CON EL
  BASTONCILLO DE PEPINO A MODO DE REMOVEDOR.

DE PRIMAVERA

ESTE OSCURO ZUMO TIENE UN SABOR SORPRENDENTEMENTE FRESCO Y SUAVE. DESDE HACE MUCHO TIEMPO SE SABE QUE EL TRIGO GERMINADO TIENE PROPIEDADES REGENERATIVAS Y PURIFICADORAS.

PARA 1 PERSONA

Ingredientes

115 g/4 oz DE BRÓCOLI CORTADO EN RAMITOS GRANDES

2 MANZANAS PARTIDAS POR LA MITAD

1 CALABACÍN (ZAPALLITO) PARTIDO POR LA MITAD

1 cucharadita DE TRIGO GERMINADO EN POLVO

1 puñadito de hielo

MAGNÍFICO TRIGO GERMINADO

ES RICO EN CLOROFILA Y PROTEÍNAS Y CONTIENE VITAMINAS A, C, E, K Y B12, ADEMÁS DE DIVERSOS MINERALES. SE SUELE ENCONTRAR EN TIENDAS DE DIETÉTICA O EN ESTABLECIMIENTOS DE ZUMOS COMO TRAGO PURIFICADOR.

¡A LICUAR!

- LICÚE EL BRÓCOLI Y LAS MANZANAS Y DESPUÉS EL CALABACÍN.

- AÑADA EL TRIGO GERMINADO AL LICUADO Y BÁTALO HASTA QUE QUEDE HOMOGÉNEO.

- LLENE UN VASO CON HIELO HASTA LA MITAD, LUEGO VIERTA EL ZUMO Y SÍRVALO ENSEGUIDA.

PURIFICADOR DE MANGO

PARA 1 PERSONA

AÑADA UN SUPLEMENTO EN POLVO A SUS PREPARADOS Y
SE ASEGURARÁ DE OBTENER BUENOS NIVELES DE NUTRIENTES.
¡NO SE OLVIDE DE ELLOS!

Ingredientes

15 g/½ oz **DE ESPINACAS**

50 g/1¾ oz **DE MANGO PELADO Y
DESHUESADO (DESCAROZADO)**

**6 HOJAS DE MENTA, Y UNAS CUANTAS
MÁS PARA ADORNAR**

½ cucharadita **DE HIERBA DE
CEBADA EN POLVO**

4 cucharadas de agua bien fría

EN VEZ DE LA
HIERBA DE CEBADA
EN POLVO PUEDE
UTILIZAR CUALQUIER
OTRO SUPLEMENTO
EN POLVO.

¡A TRITURAR!

- PONGA LAS ESPINACAS, EL MANGO, LA MENTA
  Y LA HIERBA DE CEBADA EN LA BATIDORA.

- VIERTA EL AGUA Y TRITÚRELO TODO HASTA QUE QUEDE
  SUAVE. SÍRVALO ENSEGUIDA, ADORNADO CON UNAS HOJAS

DE MANZANA Y PEPINO

REFRESCANTES Y CON UN TOQUE ÁCIDO, EL PEPINO Y LA MANZANA FORMAN UN DÚO PERFECTO EN ESTE TRAGO TAN REVIGORIZANTE.

PARA 1 PERSONA

EL APIO ES UN BUEN SUSTITUTO DEL PEPINO; EN CASO DE UTILIZARLO, SOLO DEBE AÑADIR UN POCO DE AGUA ANTES DE TRITURARLO.

Ingredientes

25 g/1 oz DE MANZANA VERDE

40 g/1½ oz DE PEPINO

El zumo (jugo) de ½ lima (limón), más 1 cuña fina para adornar

½ cucharadita DE CLOROFILA EN POLVO

3½ cucharadas de agua bien fría

¡A TRITURAR!

- PELE Y TROCEE LA MANZANA, TROCEE TAMBIÉN EL PEPINO Y PÓNGALOS EN LA BATIDORA CON EL ZUMO DE LIMA Y LA CLOROFILA.

- VIERTA EL AGUA Y TRITÚRELO TODO HASTA QUE QUEDE SUAVE. SÍRVALO ENSEGUIDA ADORNADO CON LA CUÑA DE LIMA.

PURIFICADOR DE MANGO

DE MANZANA Y PEPINO

AMANECER DE DIENTE DE LEÓN

PARA 1 PERSONA

LA MANTECA DE COCO ES UNA CREMA PARA UNTAR HECHA DE PULPA DE COCO. SE PROCESA DEL MISMO MODO QUE LOS CACAHUETES CUANDO SE ELABORA CON ELLOS CREMA DE CACAHUETE. ESTÁ REPLETA DE GRASAS SANAS Y, SI LA AÑADE A SUS PREPARACIONES, LE AYUDARÁ A SENTIRSE LLENO MÁS TIEMPO.

Ingredientes

25 g/1 oz DE HOJAS DE DIENTE DE LEÓN

50 g/2 oz DE COL (REPOLLO) RIZADA VERDE

200 ml/7 fl oz de agua bien fría

25 g/1 oz DE ANACARDOS (CASTAÑAS DE CAJÚ, NUECES DE LA INDIA)

½ cucharada DE MANTECA DE COCO

1 cucharada DE PIPAS (SEMILLAS) DE GIRASOL

REFUERZO
AÑADA 1 CUCHARADITA DE HIERBA DE CEBADA EN POLVO Y AYUDARÁ AL CUERPO A ELIMINAR TOXINAS

PREPARADO, LISTO... ¡A TRITURAR!

- TRITURE LAS HOJAS DE DIENTE DE LEÓN CON LA COL Y EL AGUA EN LA BATIDORA HASTA QUE QUEDE HOMOGÉNEO.

- AÑADA LOS ANACARDOS, LA MANTECA DE COCO Y LAS PIPAS DE GIRASOL, Y TRITÚRELO TODO HASTA QUE QUEDE SUAVE Y CREMOSO. SÍRVALO ENSEGUIDA.

ESTE BATIDO
TAMBIÉN QUEDA
MUY BUENO CON
ALMENDRAS
O NUECES DE
MACADAMIA.

PARA
RELAJARSE

SUPERZUMO

EL AGUACATE ES UN ALIMENTO MUY NUTRITIVO QUE AYUDA AL ORGANISMO A ABSORBER NUTRIENTES SOLUBLES EN GRASA. POR ELLO ES MUY CONVENIENTE QUE AÑADA AGUACATE A SUS PREPARACIONES, QUE DE ESTE MODO QUEDARÁN MÁS CREMOSAS Y RESULTARÁN RECONFORTANTES.

Ingredientes

30 g/1 oz DE ESPINACAS

250 ml/9 fl oz de infusión de regaliz fría

½ AGUACATE (PALTA) DESHUESADO (DESCAROZADO) Y PELADO

1 PLÁTANO (BANANA) CONGELADO

1 cucharadita DE SEMILLAS DE CHÍA, Y UN POCO MÁS PARA ADORNAR

SI TIENE DEMASIADAS FRUTAS Y HORTALIZAS, CONGÉLELAS EN PEQUEÑAS PORCIONES Y ASÍ LAS TENDRÁ LISTAS CUANDO DESEE PREPARARSE UN ZUMO O BATIDO.

¡A MEZCLAR!

- TRITURE LAS ESPINACAS CON LA INFUSIÓN EN LA BATIDORA HASTA QUE QUEDE HOMOGÉNEO.

- TROCEE EL AGUACATE, ÉCHELO EN LA BATIDORA JUNTO CON EL PLÁTANO Y LAS SEMILLAS DE CHÍA, Y TRITÚRELO TODO HASTA QUE QUEDE SUAVE Y CREMOSO. SÍRVALO ENSEGUIDA ADORNADO CON SEMILLAS DE CHÍA.

¡BERROS INCREÍBLES!

Los berros están llenos de antioxidantes, minerales y vitaminas C y K. También son ricos en clorofila, que ayuda a oxigenar los glóbulos rojos.

REVITALIZANTE TURBO

PARA 1 PERSONA

ESTE BATIDO CONTIENE TODO LO QUE NECESITA PARA REVITALIZAR SU CUERPO DESPUÉS DE UN ARDUO EJERCICIO: MELÓN REHIDRATANTE, PLÁTANOS VIGORIZANTES, UVAS REPLETAS DE VITAMINA C Y BERROS RICOS EN HIERRO.

Ingredientes

½ MELÓN HONEYDEW PELADO, DESPEPITADO (SIN SEMILLAS) Y TROCEADO

1 PLÁTANO (BANANA) PELADO Y TROCEADO

1 KIWI PELADO Y TROCEADO

115 g/4 oz DE UVAS BLANCAS SIN PEPITAS (SEMILLAS)

1 PUÑADITO DE BERROS

125 ml/4 fl oz de bebida de arroz, almendra o soja sin edulcorar

1 puñadito de hielo picado (opcional)

¡EMPECEMOS!

- TRITURE EN LA BATIDORA EL MELÓN CON EL PLÁTANO, EL KIWI, LAS UVAS Y LOS BERROS.

- AÑADA LA BEBIDA Y EL HIELO (OPCIONAL), Y TRITÚRELO TODO HASTA QUE QUEDE SUAVE.

- VIERTA EL BATIDO EN UN VASO Y SÍRVALO ENSEGUIDA.

RELAJANTE DE PEPINO

PARA 1 PERSONA

ESTE FRESCO Y LIGERO ZUMO QUE LLEVA ALOE VERA AYUDA A RESOLVER PROBLEMAS COMO EL ARDOR ESTOMACAL.

Ingredientes

1 PERA GRANDE

100 g / 3½ oz DE PEPINO, MÁS UNOS TROCITOS PARA ADORNAR

1 MANZANA VERDE

10 g / ¼ oz DE MENTA, MÁS 1 RAMITA PARA ADORNAR

1 cucharada DE ALOE VERA EN GEL

Hielo picado, para servir (opcional)

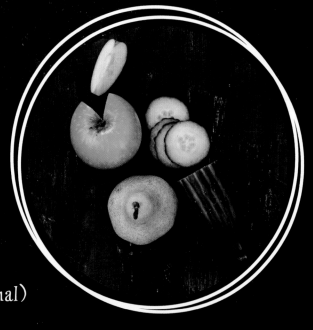

CÓMO HACER ESTE ZUMO

- TROCEE LA PERA, EL PEPINO Y LA MAZANA, Y LUEGO LICÚELOS JUNTO CON LA MENTA.

- INCORPORE EL ALOE VERA AL LICUADO Y REMUÉVALO BIEN. PONGA HIELO PICADO (OPCIONAL) EN UN VASO Y VIERTA EL LICUADO POR ENCIMA. SÍRVALO ENSEGUIDA ADORNADO CON LOS TROCITOS DE PEPINO Y LA RAMITA DE MENTA.

SI EN LUGAR
DE PERA O
MANZANA EMPLEA
MELÓN VERDE,
OBTENDRÁ UN ZUMO
TODAVÍA MÁS
REFRESCANTE Y
RELAJANTE.

GRIEGO VERDE

PARA 1 PERSONA

Ingredientes

15 g/1½ oz DE COL (REPOLLO) RIZADA VERDE

200 ml/7 fl oz de agua bien fría

LA PULPA RASPADA DE ¼ DE VAINA DE VAINILLA

100 g/3½ oz DE YOGUR GRIEGO

30 g/1 oz DE PULPA DE COCO

1 cucharada DE MANTECA DE ALMENDRA

¡A TRABAJAR!

- TROCEE LA COL, ÉCHELA EN LA BATIDORA CON EL AGUA Y TRITÚRELO HASTA QUE QUEDE CREMOSO.

- ECHE LA VAINILLA, EL YOGUR, EL COCO Y LA MANTECA DE ALMENDRA A LA BATIDORA, Y TRITÚRELO TODO HASTA QUE QUEDE SUAVE. SÍRVALO ENSEGUIDA.

SUAVE SR. VERDE

PARA 1 PERSONA

Ingredientes

10 g/½ oz DE RÚCULA

200 ml/7 fl oz de agua bien fría

1 KIWI PELADO

150 g/5½ oz DE MELÓN CANTALOUPE PELADO Y DESPEPITADO (SIN SEMILLAS)

3 cucharadas DE CREMA DE COCO

2 cucharaditas DE CREMA DE CACAHUETE (CACAHUATE, MANÍ)

¡A TRITURAR!

- TRITURE LA RÚCULA CON EL AGUA EN LA BATIDORA HASTA QUE QUEDE HOMOGÉNEO.

- TROCEE EL KIWI Y EL MELÓN, Y TRITÚRELOS EN LA BATIDORA CON LA CREMA DE COCO Y LA CREMA DE CACAHUETE HASTA QUE QUEDE CREMOSO. SÍRVALO ENSEGUIDA.

LAS VAINAS
DE VAINILLA SON
BASTANTE CARAS, POR
LO QUE TAMBIÉN PUEDE
AÑADIR A SU ZUMO $\frac{1}{4}$ DE
CUCHARADITA DE PASTA
DE VAINILLA EN VEZ
DE LA PULPA
RASPADA.

SUAVE SR. VERDE

GRIEGO VERDE

CREMA
DE COCO

SI NO ENCONTRARA CREMA
DE COCO, COMPRE UNA LATA
DE LECHE DE COCO Y ÁBRALA
SIN AGITARLA. EN LA PARTE
SUPERIOR ENCONTRARÁ UNA
CREMA ESPESA; RETÍRELA
CON CUIDADO PARA
UTILIZARLA.

BOMBA DE PIÑA

PERFECTO PARA CUANDO DESEE TOMAR ALGO PARA ALIVIAR LA SED CON UN TOQUE AFRUTADO. ¡LA PIÑA Y LA MENTA DE ESTA RECETA COMBINAN DE MARAVILLA!

PARA HACER UNA VERSIÓN CON OTRA FRUTA, SUSTITUYA LA PIÑA POR PAPAYA.

Ingredientes

5 RAMAS DE APIO

150 g/5½ oz DE COL (REPOLLO) RIZADA VERDE, Y 1 TROCITO MÁS PARA ADORNAR

150 g/5½ oz DE PIÑA (ANANÁS) PELADA Y SIN EL TRONCHO, Y 1 TROCITO MÁS PARA ADORNAR

30 g/1 oz DE MENTA

1 cucharadita DE TRIGO GERMINADO EN POLVO

REFUERZO

PARA ALIVIAR ARTICULACIONES INFLAMADAS, AÑADA 1 TROCITO DE RAÍZ DE CÚRCUMA.

¡A MEZCLAR!

- TROCEE EL APIO, LA COL Y LA PIÑA, Y LICÚELOS JUNTO CON LA MENTA.

- INCORPORE EL TRIGO GERMINADO AL LICUADO Y REMUÉVALO BIEN. SÍRVALO ENSEGUIDA ADORNADO CON EL TROCITO DE PIÑA Y EL DE COL.

LOS INGREDIENTES BÁSICOS

QUE MANTIENEN SANO EL SISTEMA DIGESTIVO

Mimarse con un delicioso zumo o batido cuando se tienen problemas digestivos le puede ayudar de dos maneras: le consuela, relaja y calma mientras lo toma, y le aporta muchos beneficios para el estómago. A continuación se los describimos.

ALIVIA LA INDIGESTIÓN, LOS ARDORES, LA DISPEPSIA Y LAS ÚLCERAS

Los zumos y batidos son la manera ideal de alimentarse si sufre de indigestión o ardores, ya que el proceso de triturado descompone la comida en partículas que son más fáciles de digerir, a la vez que retiene todos los nutrientes y la fibra.

Los zumos y batidos contienen un alto contenido en fibra, y algunos estudios demuestran que una dieta con mucha fibra se asocia a un riesgo más bajo de padecer reflujo ácido. Sin embargo, los cítricos y las especias pueden empeorar el problema, por lo que los pacientes deben prescindir de ellos.

La miel de manuka ayuda a prevenir o eliminar la bacteria estomacal *Helicobacter pylori*, que causa dispepsia además de cáncer y úlceras estomacales. Esta miel también puede ayudar a aliviar el reflujo ácido, la indigestión y la gastritis.

La raíz de regaliz se ha utilizado desde tiempos inmemoriales cómo remedio casero para fortalecer el sistema digestivo y como tratamiento de las úlceras estomacales y pépticas.

AYUDA A LOS INTESTINOS A ABSORBER NUTRIENTES

Con la acción de triturar o licuar (en especial con los sistemas de las batidoras de alta velocidad más modernas) facilitará a su cuerpo la absorción de los nutrientes de los ingredientes. Al moler tejidos y células fibrosos, incrementará la cantidad de nutrientes que su cuerpo recibirá y luego utilizará para llevar a

PREVIENE EL SÍNDROME DEL INTESTINO IRRITABLE

* Refuerza las bacterias internas. Los probióticos, que se suelen conocer como «bacterias buenas», se encuentran de forma natural en los intestinos y alivian la hinchazón y la flatulencia. Si añade yogur probiótico a sus bebidas, incrementará la cantidad de estas bacterias.
* Los prebióticos son carbohidratos no ingeridos de los cuales se alimentan los probióticos. Por lo tanto, los niveles de bacterias buenas se pueden aumentar si toma alimentos que los contienen. Los alimentos ricos en prebióticos son, por ejemplo, los plátanos, los espárragos y las alcachofas.
* Hay gente que desarrolla hinchazón y síndrome del intestino irritable si come cereales o grano. Si este fuera su caso, obtenga la fibra que necesita de la fruta y las hortalizas.
* Es importante beber a menudo, en especial agua. Estimula el paso de los desperdicios por nuestro sistema digestivo y ayuda a ablandar las heces. Beber zumos y batidos es la manera ideal de mantener su organismo limpio.
* Durante siglos, el aloe vera se ha utilizado en medicina herbolaria para calmar dolores de barriga, y es ideal en casos de síndrome del intestino irritable y problemas digestivos.
* La menta calma los dolores de barriga, alivia la indigestión, y también está relacionada con la reducción de los síntomas del síndrome del intestino irritable. Por otro lado, se ha demostrado que las manzanas, ricas en pectina, ayudan a controlar la diarrea.

COMBATE EL ESTREÑIMIENTO

Si sufre de estreñimiento necesita seguir una dieta rica en fibra y líquidos. Una mezcla de nuestros preparados es lo ideal, puesto que los que se trituran mantienen toda la fibra y los que se licúan contienen más líquido. Entre los alimentos con más fibra destacan la pera, el mango, la papaya, los albaricoques, los higos, las bayas, el coco, el aguacate, el brócoli, la zanahoria, el hinojo, la col, las espinacas y los berros.

Las frutas con un nivel más alto de agua son la sandía (un 92 %), el melón cantaloupe, las fresas, el pomelo, los melocotones, la piña, las naranjas y las frambuesas. Entre las hortalizas que contienen más agua están el pepino y la lechuga (96 %), el calabacín, el rábano, el apio, el tomate y la col.

El aceite de oliva, la guindilla, el jengibre y el regaliz se utilizan desde hace siglos para regular el flujo intestinal y estomacal
de la comida.

CREMOSOS AGUACATES PARA SU ESTÓMAGO E INTESTINOS

Añadir aguacates a sus preparados para darles una magnífica textura cremosa sin tener que añadir lácteos es una gran idea porque además ayuda a mantener sano su sistema digestivo. Un aguacate contiene alrededor de 25 g (1 oz) de grasas sanas, la mitad de las cuales son ácidos oleicos. La grasa no solo ayuda al páncreas a producir enzimas digestivas, sino que también incrementa la absorción de carotenos, que el organismo convierte en vitamina A, una sustancia que repara y mantiene el delicado revestimiento intestinal.

LOCURA DE FRUTOS SECOS

LA SUAVIDAD Y LA CREMOSIDAD SE COMBINAN CON EL DULZOR Y EL SABOR A FRUTO SECO EN ESTE DELICIOSO TENTEMPIÉ ENERGÉTICO.

PARA 1 PERSONA

Ingredientes

½ AGUACATE (PALTA) DESHUESADO (DESCAROZADO) Y PELADO

4 NUECES DE BRASIL

3 DÁTILES MEDJOOL

10 g/¼ oz DE JENGIBRE FRESCO PELADO

350 ml/12 fl oz de bebida de almendra

¼ de cucharadita DE CANELA MOLIDA, Y 1 PIZCA MÁS PARA ADORNAR

Hielo picado, para servir (opcional)

¡A TRITURAR!

- PONGA EL AGUACATE, LAS NUECES, LOS DÁTILES Y EL JENGIBRE EN LA BATIDORA.

- VIERTA LA BEBIDA, AÑADA LA CANELA Y TRITÚRELO TODO HASTA QUE QUEDE SUAVE.

- VIÉRTALO EN UN VASO SOBRE HIELO PICADO (OPCIONAL), Y SÍRVALO ENSEGUIDA ESPOLVOREADO CON LA PIZCA DE CANELA.

LA CANELA
AYUDA A REGULAR
LA GLUCOSA EN
SANGRE, DE MODO QUE
CONSTITUYE UN BUEN
SUPLEMENTO PARA QUIEN
PADEZCA DIABETES O
HIPOGLUCEMIA.

RECONSTITUYENTE DE BRÓCOLI

LOS PLÁTANOS MODERAN EL ÁCIDO DEL TRACTO DIGESTIVO, CON LO QUE ALIVIAN LOS ARDORES Y AYUDAN A COMBATIR LAS ÚLCERAS. TAMBIÉN CONTIENEN UNA FIBRA SOLUBLE QUE FACILITA EL PROCESO DE ELIMINACIÓN, POR LO QUE SON IDEALES PARA REFORZAR EL SISTEMA DIGESTIVO.

Ingredientes

150 g/5½ oz DE RAMITOS DE BRÓCOLI

75 g/2¾ oz DE ESPINACAS

200 ml/7 fl oz de agua bien fría

1 PLÁTANO (BANANA) CONGELADO

1 cucharada DE MANTECA DE PIPAS (SEMILLAS) DE CALABAZA

1 cucharada DE MIEL DE MANUKA

EXISTEN MUCHOS TIPOS DE MANTECAS DE SEMILLAS, COMO LA DE SEMILLAS DE SÉSAMO, DE CÁÑAMO O PIPAS DE CALABAZA. TODAS ELLAS APORTAN GRANDES BENEFICIOS

¡A MEZCLAR!

- TROCEE LOS RAMITOS DE BRÓCOLI Y LUEGO TRITÚRELOS CON LAS ESPINACAS Y EL AGUA HASTA QUE QUEDE HOMOGÉNEO.

- AÑADA EL PLÁTANO, LA MANTECA DE CALABAZA Y LA MIEL, Y TRITÚRELO TODO HASTA QUE QUEDE SUAVE Y CREMOSO. SÍRVALO ENSEGUIDA.

ENERGÍA VERDE

ESTE SUPERZUMO ESTÁ REPLETO DE ANTIOXIDANTES, VITAMINAS Y MINERALES.

PARA 1 PERSONA

Ingredientes

1 PERA PARTIDA POR LA MITAD

40 g/1½ oz DE ESPINACAS TIERNAS

4 RAMITAS DE PEREJIL

¼ DE PEPINO TROCEADO

½ AGUACATE (PALTA) DESHUESADO (DESCAROZADO) Y PELADO

½ cucharadita DE ESPIRULINA EN POLVO

Agua bien fría, al gusto

1 NUEZ DE BRASIL TROCEADA

¡A MEZCLAR!

- LICÚE LA PERA.

- VIERTA EL LICUADO EN LA BATIDORA, AÑADA LAS ESPINACAS, EL PEREJIL, EL PEPINO Y EL AGUACATE, Y TRITÚRELO TODO HASTA QUE QUEDE HOMOGÉNEO.

- PÁSELO A UN VASO. DISUELVA LA ESPIRULINA CON SUFICIENTE AGUA COMO PARA OBTENER UN LÍQUIDO ESPESO, E INCORPÓRELO AL ZUMO.

- ESPARZA LA NUEZ POR ENCIMA Y SÍRVALO.

REFRESCO DE MELÓN CON MENTA

PARA 1 PERSONA

CALME SU SED CON EL MÁS LIGERO DE LOS REFRESCOS. OLVÍDESE DE LAS BEBIDAS COMERCIALES CARGADAS DE AZÚCAR; ESTE SENCILLO REFRESCO CASERO, SIN ADITIVOS, SOLO CONTIENE CUATRO INGREDIENTES, APARTE DEL HIELO.

Ingredientes

½ MELÓN HONEYDEW PELADO Y CORTADO EN TAJADAS GRUESAS

5 RAMITAS DE MENTA

½ LIMA (LIMÓN) PELADA, DEJANDO UN POCO DE LA PIEL BLANCA

1 TROZO DE RAMITO DE BRÓCOLI DE 2.5 cm/1 in

1 puñadito de hielo picado (opcional)

¡A LICUAR!

- LICÚE EL MELÓN Y LA MENTA, Y LUEGO LA LIMA Y EL BRÓCOLI.

- LLENE UN VASO CON HIELO HASTA LA MITAD (OPCIONAL), LUEGO VIERTA EL LICUADO Y SÍRVALO ENSEGUIDA.

BERROS

LOS BERROS SE PUEDEN SUSTITUIR POR RÚCULA, ESPINACAS U OTRA HORTALIZA DE HOJA VERDE.

REFUERZO

AÑADA 1 CUCHARADITA DE PROTEÍNA DE GUISANTE PARA POTENCIAR LA RECUPERACIÓN MUSCULAR.

EL SALTAMONTES

SEGURAMENTE TENDRÁ TODOS LOS INGREDIENTES
NECESARIOS DE ESTE BATIDO EN SU FRIGORÍFICO,
¡ASÍ QUE YA PUEDE EMPEZAR A PREPARARLO!

PARA 1 PERSONA

Ingredientes

20 g/¾ oz DE CALABACÍN (ZAPALLITO),
Y 1 RODAJA MÁS PARA ADORNAR

1 RAMA PEQUEÑA DE APIO

10 g/½ oz DE BERROS

El zumo (jugo) de ½ limón (lima)

1 cucharada de agua bien fría

> ¡MANOS A LA OBRA! <

- TROCEE EL CALABACÍN Y EL APIO Y PÓNGALOS EN LA BATIDORA.
  AÑADA LOS BERROS Y EL ZUMO DE LIMÓN.

- VIERTA EL AGUA Y TRITÚRELO TODO HASTA QUE QUEDE
  SUAVE. SÍRVALO ENSEGUIDA ADORNADO CON LA RODAJA
  DE CALABACÍN.

REMEDIO DE ESPINACAS

ESTE OSCURO TRAGO DE ENSUEÑO ES UN SUPERREFUERZO MUY SANO, ¡POR LO QUE NO DEBE DEJAR NI UNA SOLA GOTA!

PARA 1 PERSONA

Ingredientes

20 g/¾ oz DE ESPINACAS

1 cucharada DE ALOE VERA EN GEL

El zumo (jugo) de ½ lima (limón)

½ cucharadita DE ESPIRULINA EN POLVO

3½ cucharadas de agua bien fría

AÑADA UN POCO DE MANGO CONGELADO A ESTE TRAGO PARA SUAVIZAR SU SABOR Y PARA QUE PASE MEJOR.

¡MANOS A LA OBRA!

- PONGA LAS ESPINACAS, EL ALOE VERA, EL ZUMO DE LIMA Y LA ESPIRULINA EN LA BATIDORA.

- VIERTA EL AGUA Y TRITÚRELO TODO HASTA QUE QUEDE SUAVE. SÍRVALO ENSEGUIDA.

SOPA DE
MELÓN

A DIFERENCIA DE LAS SOPAS DE INVIERNO, QUE SIRVEN PARA ENTRAR EN CALOR, ESTA SOPA LE REFRESCARÁ. RESULTA IDEAL COMO ENTRANTE DE VERANO O COMO PARTE DE UNA COMIDA AL MEDIODÍA.

PARA 1 PERSONA

Ingredientes

PREPÁRESE ESTA SOPA POR LA NOCHE PARA LLEVÁRSELA EL DÍA SIGUIENTE PARA COMER. COMO PERDERÁ UN POCO DE SU LLAMATIVO COLOR Y SE SEPARARÁN LOS INGREDIENTES, AGÍTELA ANTES DE SERVIR.

300 g/10½ oz DE MELÓN VERDE PELADO Y DESPEPITADO (SIN SEMILLAS)

250 g/9 oz DE PEPINO

4 cucharadas DE MENTA PICADA, Y 1 RAMITA MÁS PARA ADORNAR

200 ml/7 fl oz de agua de coco bien fría

PREPARADO, LISTO... ¡A TRITURAR!

- TROCEE EL MELÓN Y EL PEPINO Y PÓNGALOS EN LA BATIDORA.

- AÑADA LA MENTA Y EL AGUA DE COCO Y TRITÚRELO TODO HASTA QUE QUEDE SUAVE Y CREMOSO.

- SÍRVALO ENSEGUIDA, O BIEN REFRIGÉRELO Y LUEGO REMUÉVALO ANTES DE SERVIRLO. ADÓRNELO CON LA RAMITA DE MENTA.

ÍNDICE ANALÍTICO